formes et papier

MANU-PRESSE/club

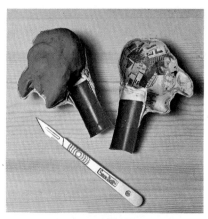
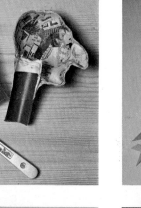
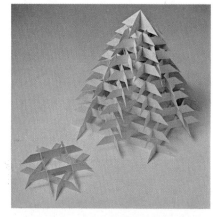
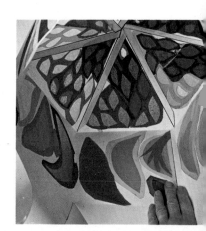

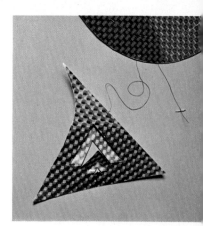

formes et papier

June Jackson
Hannah Skipper

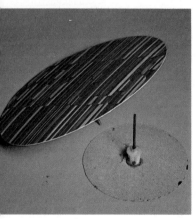  

dessain et tolra
10 rue Cassette 75006 Paris

Texte de June Jackson
et de Hannah Skipper
(pages 13-15, 29-38, 44-47, 58-61)

Photographies de Peter Kibbles

Traduction française de Marianik Bourdais
Titre original en langue anglaise : *Papercraft in easy steps*

© Studio Vista, Londres, 1977
et, pour les éditions en langue française,
Dessain et Tolra, Paris

Dépôt légal : 3e trimestre 1977. N° d'éditeur : 1718

Imprimé en Angleterre

ISSN   0336-5212
ISBN   2-249-22610-5

Table

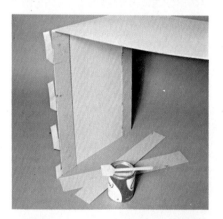

introduction
au travail du papier

Papiers utilisés et une partie des outils nécessaires à la réalisation des œuvres proposées

Papiers

En haut, de gauche à droite

Papier marbré, papier Ingres rouge, papier gaufré, quatre papiers marbrés, trois papiers japonais : jaune, orange et bleu, papier dentelle japonais.

Au centre, de gauche à droite

Papiers rouge et violet faits à la main, papier japonais à grain, acétates de couleur, papier métallisé rouge, 1 feuille de papier miroir, choix de papiers crépon de couleur

A l'avant-plan

Carte noire, papier blanc

Outillages et colles

A gauche : petite cisaille à papier, té métallique, règles métalliques, baguette de bois. *Au centre :* peinture émulsion noire et pinceau, ruban adhésif, colle caoutchouc et applicateur, rubans adhésifs, pointe feutre noire. *Sur le papier blanc :* équerre à dessin réglable, gouaches, peinture pour affiches noire, pâte à modeler, cutter et lames, pinceaux, compas avec lames coupantes, punaises, crayons, ciseaux, spatule de bois, pointes feutre de couleur.

Jadis, le papier était tiré des tiges de bambou, de lin, de chanvre, puis de vieux chiffons. Aujourd'hui, la matière première du papier est essentiellement la cellulose contenue dans les fibres végétales de certains arbres, arbustes ou céréales. L'origine des fibres, leur traitement et le genre de pâte qui en résulte, le collage, la nature des charges ajoutées, etc. déterminent la qualité des divers papiers fabriqués.

Le papier a un sens (sens du pliage), dû à l'orientation des fibres lors de la fabrication. Très sensible à l'humidité, le papier s'allonge et gondole facilement : vous utiliserez donc de préférence une colle peu liquide. On appelle carte un carton assez mince, plus rigide que le papier fort. On utilisera également pour divers travaux toutes sortes de papiers spéciaux : papiers métallisé, sulfurisé, crépon, acétate (feuille mince de matière plastique translucide), papier gommé, pailles en papier (pour boire), papier marbré, papier du Japon, etc.

Le travail du papier est passionnant. Faites vos premiers essais avec de vieux journaux, du papier ordinaire, des boîtes de carton, des emballages. Procurez-vous quelques outils indispensables : un excellent couteau (lame, cutter), une règle métallique pour les mesures et la coupe, de bons crayons taillés (durs et tendres). Achetez quelques fournitures : colles (de préférence une colle caoutchouc et d'autres colles blanches, car les colles à l'eau font gondoler le papier et abîment les teintes des papiers crépon), rubans adhésifs (également double-face). Travaillez sur une vaste surface plane ; faites les coupes sur un morceau de carton ou d'Isorel.

Avant d'acheter vos papiers, renseignez-vous, faites connaissance avec les diverses qualités de papier, étudiez les questions de grammage, de grain, de couleurs. Choisissez la carte ou le carton appropriés.

Chaque réalisation proposée ici vous initiera à une technique précise : découpage, pliage, plissage, papier mâché, collage, etc. et, rapidement, vous pourrez imaginer et concevoir vous-même vos œuvres. N'oubliez jamais que la lumière fait partie intégrante d'un ouvrage en papier, qu'il s'agisse de découpage, de vitrail, d'abat-jour, de store, d'un spectacle d'ombres chinoises ou des jeux d'un kaléïdoscope.

Mettez-vous joyeusement à l'ouvrage. Vous aimerez vite travailler le papier.

7

techniques de base

Fournitures

Feuilles de papier fort
Papier métallique, journaux
Papier de soie ou papier crépon
Règle métallique, plioir
Ciseaux, couteau ou cutter
Crayon dur (H)
Environ 1 m de ficelle fine
Punaises, colle pour papier

Un morceau de papier est une chose sans vie. Il offre, cependant, la possibilité de créer une foule d'objets décoratifs et tout un monde de formes plastiques intéressantes.

La meilleure approche pour travailler un matériau est de comprendre ses caractéristiques, de les respecter et de les exploiter.

Il faut savoir quelles formes on peut lui donner et comment les mettre en valeur en jouant avec la lumière qui l'éclaire, qu'elle vienne de l'intérieur de la forme ou de l'extérieur.

Il est possible de modifier l'aspect d'un morceau de papier en le pliant, en le courbant, en y découpant des formes tout en ne modifiant que sa surface ; on peut également par découpage et mise en forme créer des objets à trois dimensions.

1. Tirez fermement le papier sur une surface plane en y appuyant le bord d'une règle.

2. Faites une boule d'un morceau de papier, froissez-la et laissez-lui reprendre d'elle-même une forme stable.

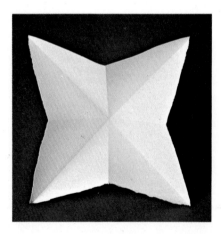

3. Pliez un carré en suivant les diagonales ; retournez-le, pliez au milieu des côtés. Vous aurez une étoile.

4. Pliez le papier vers le centre, écrasez le pli et continuez à plier jusqu'au pli suivant.

COURBER LE PAPIER

Il est simple de donner à la feuille de papier une simple courbe, ou d'alterner successivement le sens des courbes pour obtenir un papier ondulé. Utilisez de préférence un papier assez fort. Pour le courber frottez le papier sur le bord d'une table, en le tenant tendu, ou sur l'arête d'une règle métallique (1). Le papier gardera sa forme, sa structure même étant désormais modifiée. Pour augmenter le pouvoir réfléchissant de la surface vaporisez un vernis pour papier.

PAPIER FROISSÉ

Les effets que produit la lumière réfléchie sur une surface plissée changeront en fonction du grammage du papier utilisé. Quelle que soit la manière de plisser le papier, elle dépend de la nature du papier utilisé, du sens de ses fibres, de son état de surface, etc. Faites des essais avec du papier de soie, un papier plus fort comme du papier à dessin et avec un papier métallique (2). Essayez avec différentes sources de lumière.

PAPIER PLIÉ ET PLISSÉ

Les effets seront encore mieux contrôlés si on utilise soit le pliage simple ou le plissage en accordéon d'un papier fort. En faisant des plis dans des directions différentes et sur les deux faces du papier, il est possible d'obtenir des formes plus compliquées, entre autres des étoiles (3). Avant de faire des plis simples ou du plissage sur de grandes surfaces, il est recommandé de marquer préalablement les pliures avec le dos d'un couteau, un plioir, etc. Après avoir fait le pli, passez le plioir à plat pour écraser le pli et obtenir une arête nette.

Le plissage consiste à plier d'abord le papier à intervalles réguliers dans la même direction. Les intervalles

5. Retournez le papier, faites se toucher les pointes des plis extérieurs, plissez en formant le pli creux.

6. Déchirez le papier par endroit, faites des trous de formes irrégulières.

7. Motifs obtenus en pliant et en déchirant un papier fin, ici un journal.

8. Découpez des formes, marquez les plis, redressez-les suivant différents angles.

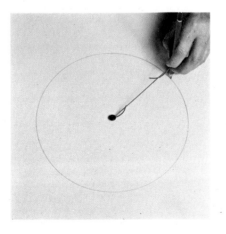

9. Attachez la ficelle à une punaise et à un crayon à l'autre extrémité. Tracez le cercle.

10. Écrasez les plis à l'aide d'un plioir pour obtenir des arêtes nettes. Collez les côtés.

peuvent être mesurés, mais on peut également plier le papier en deux puis chaque moitié en deux (**4**), et continuer ainsi jusqu'à ce que les intervalles aient deux fois la largeur voulue. Retournez le papier (**5**) et formez les plis creux. Les bords doivent rester parfaitement parallèles si l'on veut obtenir des plissés très réguliers.

PAPIER DÉCOUPÉ ET PAPIER DÉCHIRÉ

Pour modifier l'aspect de la surface du papier vous pouvez le découper, le déchirer et le percer ; toutes ces modifications seront elles-mêmes multipliées par les changements de lumière. Déchirez des formes dans le papier (**6**) sans les détacher mais en les courbant ou en les bouclant en passant un crayon sur l'envers tout en maintenant le papier avec le pouce. La surface de la feuille de papier prend ainsi un aspect nouveau : trous, morceaux soulevés à angle droit et ombres projetées par la lumière. Les formes déchirées donnent des effets inattendus. Les formes découpées au couteau, à l'intérieur desquelles on peut aussi découper d'autres formes et les replier dans différentes directions (**8**), sont plus faciles à contrôler. Des trous percés soit avec un poinçon ou un emporte-pièce, filtreront la lumière projetée sur le papier.

FORMES A TROIS DIMENSIONS

La forme à trois dimensions la plus simple, qui deviendra un mobile, est réalisée à partir d'une simple découpe dans un morceau de papier. Elle aura la forme d'une spirale, circulaire ou « angulaire ». Le cutter part d'un point au bord du papier et revient vers le centre en formant une spirale. Suspendez la spirale qui s'ouvrira grâce à son poids.

CUBE, CYLINDRE ET CÔNE

Parmi les volumes géométriques, le plus simple à réaliser est le cylindre. Il se compose d'une feuille de papier enroulée dont les bords sont collés. Le cône est une portion de cercle enroulée de la même manière ; un demi ou trois-quart de cercle donneront un cône plus ou moins ouvert. Il est facile de tracer de grands cercles à l'aide d'une punaise, d'une ficelle fine et d'un crayon. La longueur de la ficelle détermine le rayon du cercle (**9**). Tenez le crayon en gardant un angle constant (de préférence 90°). Tracez un secteur dans un cercle, découpez-le, collez les deux bords droits ensemble.

Pour faire un cube dessinez une croix formée de six carrés, quatre pour la partie verticale et un carré de chaque côté du deuxième carré à partir du haut. Prévoyez des marges pour l'encollage (**10**).

Ces trois simples formes tirées d'une feuille de papier serviront de base à un grand nombre des projets décrits dans ce livre.

décoration de surface

FROTTAGE

Papier chiffon à grain fin, blanc ou de couleur
Crayon de cire ou pastel gras
Ruban adhésif
Choix de feuilles d'arbre, morceaux de bois, pièces de monnaie, etc.

Par frottement, on obtient une reproduction sur le papier de l'objet choisi. Sa surface doit présenter soit des reliefs (**1**) soit des creux (**2**). Vous trouverez facilement des objets naturels qui conviennent à ce travail (feuilles, bois, herbes, etc.) ou des objets manufacturés, comme par exemple la dentelle, le grillage, les pièces de monnaie, des pierres gravées ou des plaques de cuivre ciselé.

Placez le papier sur la surface choisie, fixez les coins de la feuille avec du ruban adhésif. Frottez régulièrement le crayon de cire sur toute la surface. Sentez bien avec vos doigts la position des bords de l'objet pour ne pas déborder. Vérifiez que vous n'oubliez aucun détail. Le crayon de cire aura laissé sa marque aux endroits où il aura été en contact avec le relief de la surface. S'il s'agit d'un motif en creux, sa reproduction sur le papier sera un trait blanc (**4**). Au contraire, s'il s'agit d'un relief, sa reproduction

1. Motif ornemental sculpté en bas-relief dans un mur de jardin.

2. Chiffres gravés dans du bois. Le grain du bois est également intéressant.

3. Plumes, pièces de monnaie et autres reliefs dont la texture donnera des frottages intéressants.

4. L'image obtenue par frottage est un négatif ayant la couleur du papier.

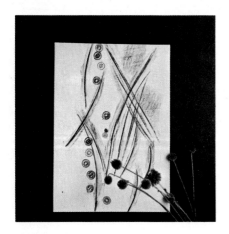

5. Les plumes et les pièces de monnaie donnent une image positive, de la couleur du crayon utilisé.

6. Papier gommé de couleur découpé en petits morceaux. Collez les papiers non gommés avec une colle caoutchouc.

7. Composition de la mosaïque. Étudiez les harmonies de couleur.

sera de la couleur du crayon utilisé (**5**).

MOSAÏQUES

Papier fort pour le support
Papier gommé de différentes couleurs, ciseaux

Une mosaïque est un tableau composé de nombreuses petites formes à peu près carrées, de différentes couleurs, qu'on colle sur un support. Il existe des mosaïques de céramique ou de verre fixées par un ciment sur un mur ou un sol, les plus connues étant celles de l'époque romaine et les mosaïques chrétiennes de Ravenne.

La mosaïque en papier utilise une technique similaire mais, le papier étant plus souple, il peut être superposé et on peut obtenir des formes plus variées. On commencera par tracer le dessin sur le papier ou par découper un certain nombre de morceaux que l'on disposera sur le papier avant de les coller (**6**). Cette dernière méthode permet d'étudier la composition du sujet ; souvent, c'est en disposant les « tesselles » de telle ou telle façon que le tableau prend forme. Vous ne travaillerez ainsi que de petites parties à la fois (**7**) et ne collerez les morceaux que lorsque vous serez pleinement satisfait du dessin.

moulins
et disques rotatifs

MOULINS

Fournitures

2 feuilles de papier gommé de couleur
1 paille en plastique, 1 baguette de bois
1 épingle
Ciseaux, règle, crayon
Colle, pinceau

Le papier qui conviendra le mieux à la réalisation d'un moulin à vent sera un papier gommé brillant en deux couleurs contrastantes que l'on collera l'une contre l'autre. Mouillez la face gommée des carrés avec un pinceau humide et collez-les l'un sur l'autre. Pour que les bords se superposent parfaitement, il est préférable de découper des carrés un peu plus grands, de les coller puis de recouper les deux épaisseurs ensemble pour obtenir la dimension voulue. Faites le moulin (**2-3**) puis fixez-le sur la baguette (**4**). Le morceau de paille sera intercalé entre la baguette et le moulin ; il sert de rondelle et améliore la rotation des ailes sur l'axe ; l'autre morceau de paille, traversé par l'épingle, maintient les ailes.

1. Découpez deux carrés de 15 cm et collez-les l'un sur l'autre, en mouillant le moins possible.

2. Tracez les diagonales puis mesurez 7 cm à partir de chaque angle. Marquez d'une croix les angles opposés.

3. Coupez le long de ces lignes et collez les angles marqués d'un X au centre.

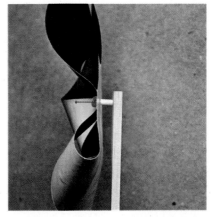

4. Coupez la paille de plastique et assemblez avec l'épingle. Enfoncez celle-ci dans la baguette.

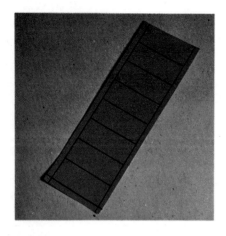

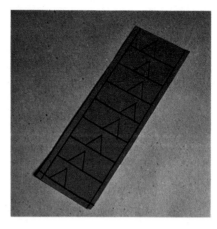

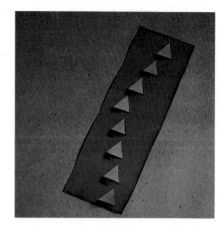

5. Découpez et collez deux rectangles (33 × 11 cm). Tracez les marges et les lignes de division.

6. Tracez les triangles à découper, coupez sur deux côtés avec un cutter.

7. Relevez les pointes des triangles et collez le papier vert sur l'envers.

8. Transformez le rectangle en cylindre, doublez avec de la carte et collez.

9. Assemblez les trois parties de l'axe avec des pointes. Crantez les bords des disques.

10. Montez les disques sur l'axe et collez le moulin assemblé dans le cylindre.

DISQUES ROTATIFS

Fournitures

Une feuille de carte rigide
Une baguette de bois ronde
Colle, cutter, compas
Papier de couleur ou stylos feutre

Faites des essais de différents motifs en utilisant soit des couleurs contrastantes soit des lignes noires sur un fond clair. Si l'effet optique obtenu lors de la rotation du disque ne vous satisfait pas, changez le motif en en collant un autre sur le disque.

CYLINDRES ROTATIFS A AILETTES

Fournitures

3 feuilles de papier gommé de couleur
1 feuille de carte, papier fort
Règle, cutter, colle
Baguette de bois, 2 épingles
Pince coupante

Tracez trois marges de 1 cm de large sur un petit côté et sur les deux grands côtés d'un rectangle (**5**). Divisez la surface restante (32 cm × 9 cm) en huit parties de 4 cm de large. En commençant à la marge du petit côté mesurez 1 cm, 2,5 cm

et 4 cm de haut en bas. Prenez le point du milieu (milieu de la base du futur triangle), tracez une perpendiculaire et marquez un point sur cette ligne à 3 cm. Tracez le triangle. Marquez les mêmes cotes à partir de la ligne suivante et ainsi de suite jusqu'à la septième ligne, mais en les décalant chaque fois d'un centimètre vers le bas jusqu'à ce que vous atteigniez la huitième ligne.

Découpez les triangles et collez la troisième couleur (**7**). Faites un cylindre en carte et placez-le à l'intérieur du cylindre pour le renforcer. Découpez des morceaux de baguette de 10 cm, 2,5 cm et 4 cm,

11. Découpez un disque dans de la carte forte. Faites le motif en couleurs contrastées.

12. Découpez une étoile au centre du disque et passez la baguette au travers.

13. Coupez une bande de papier effilée, encollez une face et enroulez sur la baguette.

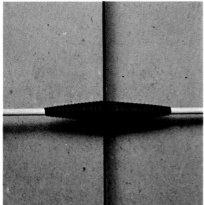

14. Serrez contre chaque face du disque, collez. Taillez le bout de l'axe en pointe.

puis enfoncez une épingle dans les deux petits morceaux.

Formez le dessus et la base en découpant dans la carte des cercles de 10 cm de diamètre et des cercles de 12,5 cm dans du papier fort et en les collant ensemble (**9**). Faites des entailles sur les bords et piquez les épingles au centre des cercles. Coupez la tête des deux épingles et enfoncez celles-ci aux extrémités de la longue baguette; tapotez doucement avec un marteau jusqu'à ce que seulement une petite partie de l'épingle reste visible. Encollez les marges entaillées, mettez en place dans le cylindre. Fixez au socle.

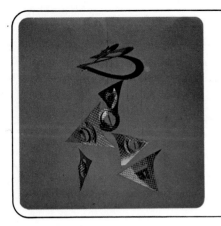

mobiles

Les mobiles sont des formes suspendues que les mouvements de l'air ambiant animent. Ils doivent être légers et offrir à l'air la résistance d'une ou plusieurs surfaces, comme les ailes d'un moulin à vent.

MOBILE PLAT

Fournitures

Carte mince, papier fort
Papier à motifs, cutter
Colle caoutchouc
Fil solide

Ces mobiles seront découpés dans deux épaisseurs de papiers différents pour ne pas avoir le même motif sur chaque face. On peut soit peindre les motifs sur du papier blanc soit utiliser du papier imprimé (**1**). Il est préférable d'utiliser une colle au caoutchouc (Rubber Cement, Drawing gum) plutôt qu'une colle blanche liquide ; le papier restera bien plat et tout excès de colle pourra être enlevé par simple frottement.

Le motif central est découpé dans de la carte mince, on y accrochera les mobiles plus petits. La forme de base est un grand cercle à l'intérieur duquel seront découpés des arcs de cercles concentriques (**2**). Découpez les plus petits mobiles dans du papier fort, lui aussi imprimé (**3**) et

1. Posez les feuilles de papier gommé l'une sur l'autre ; frottez avec le poing à partir du centre.

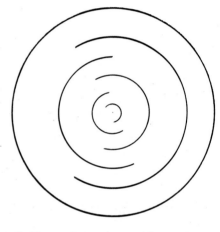

2. Tracez les segments de cercles et coupez avec un cutter ou un compas à lame.

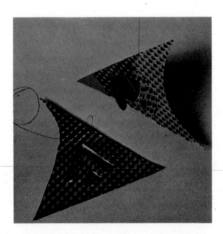

3. Les petits mobiles ont une découpe circulaire ou triangulaire ; ils tournent librement.

4. Suspendez le mobile central par le centre, faites-y des trous pour suspendre les autres.

faites une découpe en leur centre dont vous rabattrez les bords pour former des petits ailerons qui leur permettront d'avoir un mouvement indépendant. Suspendez le mobile principal (**4**) pour déterminer les points où seront accrochés les autres éléments. Par leur poids, ceux-ci modifieront la forme de l'élément central en l'ouvrant. Fixez les petits mobiles au mobile principal en ajustant la longueur des fils.

MOBILES EN VOLUMES

Fournitures

Une feuille de papier fort
Peinture à l'eau, pinceau
Crayon, règle, cutter

Ces mobiles à trois dimensions sont conçus pour être des trompe-l'œil ; on prend au départ un volume géométrique dont on modifie apparemment la forme par la décoration. C'est le principe même du camouflage ; de la même façon, par mimétisme, certains animaux ou insectes prennent la ressemblance visuelle avec le milieu dans lequel ils se déplacent (feuilles, brindilles, taches de lumière ou d'ombre), ce qui les rend invisibles à leurs ennemis. Ici, les formes rondes semblent avoir des angles et les formes rectilignes des courbes. Dessinez les contours du volume choisi (**6**) et peignez ou collez le motif sur la forme à plat en assemblant de temps en temps pour visualiser l'effet obtenu. Le dessin doit recouvrir largement les lignes de coupe pour éviter des blancs aux endroits des raccords. La figure (**7**) montre ce que cela donne sur un cube. Pour d'autres formes, faites d'abord une petite maquette et numérotez les parties à assembler. Avant de former le mobile, déterminez les points de suspension et attachez le fil. On peut suspendre ces mobiles individuellement ou, si vous disposez de suffisamment de hauteur, les suspendre l'un au-dessus de l'autre sur une longue ficelle.

5. Suspendez les petits mobiles et faites des essais à partir de différents points des cercles.

6. Dessinez le cube ; numérotez les côtés à assembler et indiquez le sens des raccords.

7. Montez le cube en encollant les rabats et en les rabattant vers l'intérieur.

vitraux
en papier crépon

On obtient en dirigeant la lumière extérieure sur les reliefs d'un papier blanc une infinité de motifs différents, créés par les ombres projetées par ces reliefs, les vides que leur découpage a laissés et la forme de ces découpes. Une simple modification de l'orientation de la lumière changera totalement les motifs.

La lumière placée à l'intérieur d'une forme ou posée derrière elle donnera sa luminosité principalement par contraste avec un fond opaque sombre. On peut, en utilisant ainsi du papier de soie de couleur, du papier crépon, des acétates de couleur ou d'autres papiers très fins, obtenir un véritable effet de vitrail.

La lumière est partie intégrante de l'ouvrage dans ce mode d'utilisation du papier. Son succès dépend de la lumière qui traverse les parties translucides. Si vous utilisez la lumière du jour, suivant la luminosité extérieure vous aurez une faible luminosité les jours maussades ou de brillantes taches de lumière projetées partout dans la pièce les jours ensoleillés et qui se déplaceront avec le mouvement du soleil. La lumière artificielle, par contre, est une source de lumière constante et diffuse. Elle modifie cependant l'aspect des couleurs ; la lumière d'une lampe à incandescence est

1. Pour vous rendre compte du ton exact des papiers crépon regardez-les à la lumière (jour ou lampe).

2. Tracez le dessin sur l'envers du papier avec une craie claire. Hachurez les découpes.

3. Vérifiez le dessin dans un miroir et corrigez les erreurs éventuelles.

4. Avec un cutter, taillez les découpes qui seront recouvertes avec le papier crépon.

jaune et agit comme un filtre. Faites des essais avec des papiers de soie de couleur devant différentes sources de lumière pour étudier leur influence sur les changements de teintes **(1)**.

DÉCORATION D'UNE FENÊTRE

Gros papier noir opaque aux dimensions de la surface à recouvrir

Feuilles de papiers crépon de couleur

Colle à papier

Cutter, ciseaux, règle métallique

Craie couleur pastel

Le papier sombre doit être suffisamment épais pour rester rigide (papier de couverture ou papier fort). Découpez-le à la forme voulue pour recouvrir la fenêtre. En travaillant sur l'envers du papier, ou sur ce qui sera finalement l'envers du dessin, tracez les motifs qui seront soit découpés soit déchirés, en prévoyant une bordure d'environ 1/24 tout autour pour donner plus de solidité à l'ouvrage **(2)**. Comme le dessin que vous formez est inversé par rapport à celui que présente l'endroit de l'ouvrage, vérifiez à l'aide d'un miroir **(3)** avant de faire le découpage final.

Choisissez des motifs géométriques réguliers, dessinez-les à l'aide d'une grille précise comportant les découpes à faire, ou si vous préférez des formes moins rigides, utilisez des décalques de formes organiques (plantes, feuilles, fleurs, etc.) ou faites des découpes selon votre imagination soit en découpant soit en déchirant le papier. Une fois le dessin terminé, retirez les parties ainsi délimitées qui formeront les ouvertures **(4)**. Il est possible de superposer plusieurs couches de papier crépon pour augmenter ou diminuer l'intensité des couleurs ou pour modifier les teintes dans certaines parties de l'ouvrage, ou de coller les feuilles de papier l'une sur l'autre et de découper dans certaines des ouvertures.

5. Placez les papiers sur les découpes et tracez le contour suivant lequel ils seront découpés.

6. Encollez les bords des ouvertures, découpez les « vitraux » et collez-les.

abat-jour translucide

Fournitures

Une feuille de papier fort blanc ou de couleur
Papiers crépon de couleur
Colle, crayon, règle
Couteau ou cutter, ciseaux
50 cm de cordelette de nylon

Le papier brûle et les ampoules électriques chauffent ; cependant, en permettant à l'air de circuler autour de l'ampoule, c'est-à-dire en prévoyant un espace suffisant, les abat-jour de papier ne risqueront pas de s'enflammer. L'intervalle à prévoir dépendra de la puissance de l'ampoule utilisée ; pour une ampoule de 40 W prévoyez un diamètre d'environ 30 cm et une distance minimum des bords à l'ampoule d'au moins 8 cm.

Le papier pour l'abat-jour sera de préférence de couleur claire, sauf si vous désirez une lumière très tamisée, parfaite pour créer une ambiance mais très mauvaise pour la lecture. Pensez donc à l'utilisation que vous en ferez et faites des essais avec différents papiers.

L'abat-jour en forme de lotus a été réalisé par applications de papiers crépon et, comme pour le vitrail, vous choisirez les couleurs en les plaçant devant la lumière prévue.

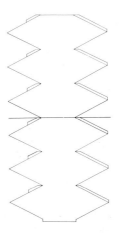

1. Dessinez la forme de l'abat-jour déplié en réservant des bandes étroites pour l'encollage.

2. Découpez les formes de papier crépon et collez-les à l'intérieur de l'abat-jour.

3. Bouclez le haut des triangles de la bande supérieure avec un crayon ou une baguette lisse.

4. Pliez le corps de l'abat-jour, puis collez les triangles en laissant les pétales libres sur le dessus.

Essayez le soir, à la lumière artificielle.

Le papier pour l'abat-jour, qu'il soit blanc ou de couleur, doit être un papier fort, de bonne qualité et de grammage approprié, pour pouvoir courber les « pétales ». Pour faire la forme de base placez le papier de façon à ce que son long côté (la circonférence de l'abat-jour) soit horizontal. Divisez horizontalement le papier en trois bandes de 13 cm et divisez-le verticalement en 6 parties égales après avoir réservé un bord d'1 cm à l'extrémité pour l'encollage (**1**). Pour tracer les triangles dans les bandes du haut et du bas, marquez le centre de chaque division. Sur un côté de chaque triangle réservez une bordure pour coller. Les triangles du sommet de l'abat-jour forment les pétales, et sur ceux-ci la bordure pour le collage n'aura que 6 cm. Découpez. Coupez ensuite les morceaux de papier crépon en suivant la même méthode que pour le vitrail et en travaillant à l'intérieur de l'abat-jour. Collez-les, puis coupez les bords près des ouvertures pour éviter que par transparence ils fassent des ombres autour des ouvertures.

Il ne faut pas oublier qu'une fois éteint, à la lumière du jour, un abat-jour doit toujours être agréable à regarder. Pensez-y lors de la conception du dessin ; l'abat-jour doit à la fois permettre une jolie diffusion de la lumière dans la pièce et être également un objet en harmonie avec la pièce où il se trouve. Lorsque vous étudierez le dessin (**2**), ayez présentes à l'esprit ces deux images indissociables : abat-jour éclairé de l'intérieur diffusant la lumière et objet décoratif éclairé de l'extérieur. Lorsque les « vitraux » sont parfaitement secs, bouclez les pétales (**3**) et pliez les parties à assembler (**4**). Formez l'abat-jour (**5**). Passez une fine cordelette de nylon à travers deux pétales en vis-à-vis (**6**) et raccordez le fil.

5. Assemblez le corps de l'abat-jour en collant la languette.

6. Passez la cordelette à travers deux pétales opposés, arrêtez-la avec un cure-dents.

abat-jour plissé

L'abat-jour plissé le plus simple est un long rectangle de papier plissé régulièrement et dont les deux côtés assemblés formeront un cylindre. En passant une cordelette à travers chaque pli en haut et en bas de l'abat-jour, on pourra modifier le cylindre et en faire par exemple un cône.

ABAT-JOUR SUSPENDU

3 feuilles de papier japonais ou similaire
Ruban adhésif transparent
Fine cordelette
Système de fixation sur grand cercle d'abat-jour
Petit cercle d'abat-jour (base du cône)

Pour calculer les dimensions du papier prévoyez deux fois la largeur du diamètre le plus large ; la hauteur de cet abat-jour est de 61 cm, la longueur de 3 m. L'abat-jour est fixé à la carcasse en cousant par un surjet la cordelette passée dans le plissage au cercle inférieur. Calculez les dimensions d'après la carcasse que vous aurez achetée ou récupérée. Préparez le plissage comme précédemment ; lorsque l'abat-jour sera fermé en cylindre (**3**), vous devrez lui prévoir un support pendant que la carcasse sera mise en place (**5**).

1. Striez le papier avec un plioir avant pliage pour obtenir des plis nets et réguliers.

2. Percez des trous dans le papier au milieu de chaque pli, à 3 cm des bords ; enfilez une cordelette.

3. Joignez les deux bords de l'abat-jour et collez à l'intérieur avec du ruban adhésif transparent.

4. Attachez les cercles avec de la cordelette, calculez la hauteur d'après l'abat-jour.

5. Placez la carcasse verticalement dans l'abat-jour et, par un surjet, fixez le cercle de la base à la cordelette.

6. Faites un petit pli au milieu, et d'autres plis sur les côtés un peu au-delà de la moitié des côtés.

7. Pliez en deux, plissez de la manière habituelle en appuyant davantage sur les doubles épaisseurs.

8. Tirez et ouvrez doucement les plis du milieu, en gardant les plis.

9. Tirez et ouvrez les plis des côtés.

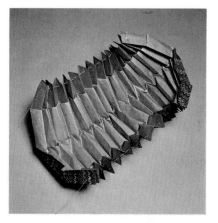

10. Enfilez la cordelette en haut et en bas de l'abat-jour. Serrez et nouez.

ABAT-JOUR SANS PIED

Fournitures

2 feuilles de papier marbré ou peigné
Fine cordelière
Cercle métallique pour la base
Ruban adhésif transparent

Pour réaliser des formes plus compliquées on peut associer plissage et pliage. En pliant le papier avant de le plisser, on obtiendra (**6**) des formes brisées suivant différents plans entre lesquels s'intercalent des parties plissées. Une fois l'abat-jour terminé, fixez le cercle à sa base pour qu'il soit bien régulier.

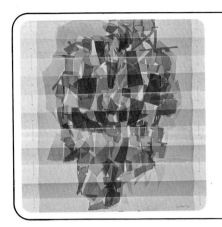

store de fenêtre

Fournitures

Papier fort ou papier toilé (dimensions : 1/3 en plus de la longueur de la fenêtre, mais la même largeur ou la largeur de la fenêtre moins 6 cm s'il doit être placé à l'intérieur de l'encadrement de fenêtre)

2 morceaux de contre-plaqué de 4 mm d'épaisseur, l'un de la longueur de la largeur du papier, l'autre de 6 cm de plus

2 équerres en L

Vis de fixation, 3 pitons

Cordon pour store, 6 fois la longueur de la fenêtre

Glands pour le cordon

Colle à bois, perceuse

Crochet en S autour duquel s'enroulera le cordon

Vis de fixation, vernis à bois

Le choix du papier dépendra de la quantité de lumière que vous voulez laisser passer. Un papier de couleur claire donnera une lumière diffuse mais on pourra voir des silhouettes à travers de l'extérieur. Un papier sombre ou noir sera parfaitement opaque mais assombrira énormément la pièce. On peut peindre ou coller des motifs sur le papier utilisé avant le plissage.

Mesurez le papier pour qu'il ait la largeur de la fenêtre en réservant 6 cm d'un côté pour tirer le cordon. En mesurant la longueur du store,

1. Vernissez une face du bois, collez le côté non verni sur les plis du haut et du bas. Il dépasse un peu d'un côté.

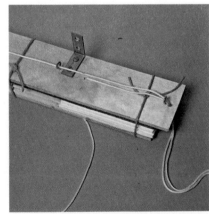

2. Percez à travers le bois et les plis de chaque côté et à l'extrémité de la planchette pour le cordon.

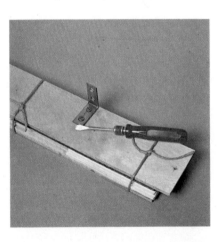

3. Vissez les équerres sur la planchette pour fixer le store à l'extérieur du cadre de la fenêtre.

4. Fixez des pitons contre les équerres (vers l'intérieur) et le trou du cordon, enfilez celui-ci.

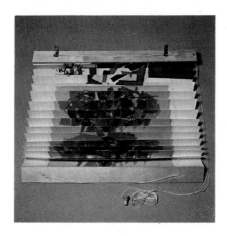

5. Égalisez le cordon et fixez le gland.

prévoyez environ un tiers en plus pour que le store soit légèrement plissé lorsqu'il est entièrement tiré. Ainsi, si le store bouche la fenêtre avec une longueur de 1,70 m prévoyez 2,20 m. Travaillez sur une grande surface plane ; vous commencerez par plier le papier en deux, puis vous procéderez au plissage comme il a été indiqué page 9. Le pli formé devra avoir une largeur d'environ 4 cm. Efforcez-vous de faire des plis aussi réguliers que possible sinon vous obtiendrez un store en spirale, original sans doute, mais peu pratique. Collez ensuite la baguette de bois du haut sur l'endroit du papier (**1**) en laissant dépasser un peu de bois d'un côté. Utilisez une colle forte en suivant scrupuleusement le mode d'emploi, en particulier en ce qui concerne le temps de séchage. La baguette du bas est ensuite collée au dernier pli, en dessous du papier.

Percez alors les trous pour passer le cordon (**2**). Faites un accordéon très serré avec le store et maintenez-le ainsi replié soit avec une pince soit avec une corde, et placez une chute de bois en dessous avant de percer les trous. Faites une marque sur la baguette du haut à 10 cm de chaque bord du papier, exactement au centre de la baguette (**2**). Faites une

marque plus loin sur la partie de la baguette qui dépasse à droite, centrée entre l'extrémité du papier et l'extrémité de la baguette. Il n'y a pas en fait de gauche ou de droite, ce qui importe, c'est le côté qui actionnera le store. Si celui-ci doit s'adapter aux dimensions extérieures de l'encadrement de fenêtre, fixez les équerres (**3**). S'il doit se placer à l'intérieur de l'encadrement de fenêtre, fixez-les aux extrémités des baguettes en les dirigeant vers les côtés. Pliez le cordon en deux et enfilez une extrémité en commençant en haut du côté opposé à celui qui actionnera le store ; remontez

jusqu'à ce que vous rejoigniez l'autre moitié (**4**), en passant à travers des pitons fixés à côté des trous pour faciliter le passage du cordon. Passez les deux extrémités du cordon à travers le bout de la baguette qui dépasse et, le store étant étiré au maximum, égalisez la tension du cordon (**5**), puis fixez le gland.

Fixez le store sur la fenêtre en réservant un espace au-dessus de la baguette du haut pour permettre au cordon de glisser librement. Ajustez et raccourcissez celui-ci si nécessaire, fixez le crochet en S à une hauteur convenable sur le montant de la fenêtre ; il retiendra le cordon.

25

collage
et photomontage

Fournitures

Carte fine (80 cm × 30 cm)
7 feuilles de papier fort (40 cm × 30 cm)
Photographies de famille ou d'amis
Revues, journaux, et autres matériaux pour collage
Couteau ou cutter, ciseaux
Colle caoutchouc, ruban adhésif
Règle, pointes feutre, peinture

L'invention de la photographie a donné naissance à un art populaire extraordinaire, comme jadis l'invention de l'imprimerie. A la fin du XIXe siècle, nombreux étaient ceux qui faisaient faire des fac-similés des portraits de leurs amis ou parents ; puis faire ses propres photographies devint une occupation largement répandue. L'album de famille tint une place aussi importante dans une maison que la bible familiale.

Ainsi naquit un nouveau mode de décoration d'intérieur qui tendait à remplacer les devants de cheminée au petit point et les tentures brodées ; ce furent les premiers paravents recouverts de collages. Ils étaient, en fait, recouverts d'un mélange de photographies de famille et d'éléments décoratifs imprimés, papiers de couleur imprimés de motifs floraux, articles et photographies découpées dans des revues à la

1. Striez la carte à l'extérieur du pli avec le couteau, renforcez l'intérieur du pli avec du ruban adhésif.

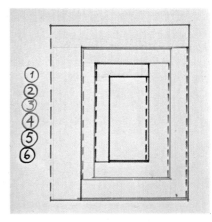

2. Faites le plan des fenêtres, le côté de l'ouverture est indiqué par une ligne pointillée.

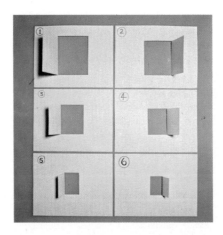

3. Numérotez chaque feuille, vérifiez l'alternance de l'ouverture.

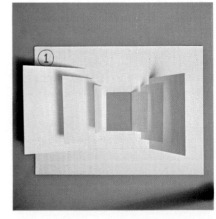

4. Superposez les feuilles dans l'ordre correct, relevez les contours du cadre pour le collage.

mode, cartes postales, papiers cadeaux, coquillages et des fleurs séchées. Le résultat ainsi obtenu était très évocateur et souvent hautement suggestif.

Le collage est une manière comme une autre de réaliser des tableaux ; ici, images et formes proviennent soit d'autres tableaux, soit de morceaux de papier, de tissu ou de tout autre matériau présentant une certaine originalité. On les collera sur un support et ils formeront ainsi une nouvelle composition.

La technique du photomontage consiste à assembler des photographies selon un montage imaginaire et à rephotographier l'ensemble. Cette méthode n'est pas sans rappeler les photographies, grandeur nature, de ces photographes du bord de mer, réalisées en passant la tête du client à travers un décor.

CARTES DE VŒUX

Le principe de la carte de vœux présentée ici est l'utilisation d'une suite d'autobiographies, chaque membre d'une famille ou d'un groupe commençant par faire un montage personnel se rapportant à ses idées, à ses activités ou à ses préférences personnelles. La mise en page de la carte réserve à chaque membre une page en vis-à-vis où écrire le message. Dans la carte familiale, la taille décroissante de chaque élément suit l'ordre des différents âges des membres de la famille. Toutes les variantes sont, bien sûr, possibles.

La structure de base est une feuille de carte dont on replie les extrémités vers l'arrière, celles-ci servant de support pour poser la carte debout. Ces rabats seront parfaitement plats et la carte pourra donc être placée dans une enveloppe et postée. Renforcez l'endroit de la pliure par du ruban adhésif placé à l'intérieur pour empêcher qu'elle ne se déchire (**1**). La taille de la carte ne doit pas

5. Papiers imprimés, papiers à reliefs, papiers gommés de couleur et photographies. Choisissez !

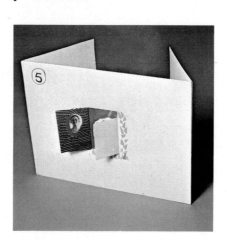

7. Placez 5 sur 6, faites l'image à l'intérieur de la fenêtre et prolongez le motif sur l'encadrement.

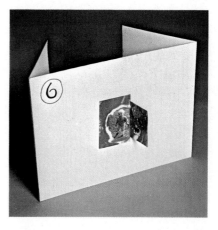

6. Faites d'abord l'image de base, collez la feuille 6 et continuez la décoration à l'intérieur de l'ouverture.

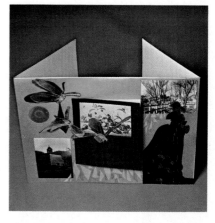

8. Placez la dernière feuille en formant ainsi l'endroit de la carte. Vérifiez l'ouverture des fenêtres.

dépasser les dimensions autorisées par la Poste.

Les dimensions de la carte présentée ici, avant pliage, sont de 80 × 30 cm. Mesurez 20 cm à partir des extrémités, amorcez la pliure et pliez pour former les côtés (**1**). Découpez alors 7 feuilles de papier à dessin mesurant chacune 30 × 40 cm. Prenez ensuite une des feuilles et tracez le schéma de la fenêtre (**2**). *Fenêtre 1* (rouge) : mesurez 12,5 cm à partir des côtés, 5 cm du haut, 6,5 cm du bas, ouverture vers la gauche. *Fenêtre 2* (verte) : 2,5 cm en dessous et 3 cm à gauche de la fenêtre 1, elle s'ouvre

vers la droite. *Fenêtre 3* (orange) : 2 cm en dessous et 2 cm à droite de 2, ouverture vers la gauche. *Fenêtre 4* (bleue) : 1,2 cm vers l'intérieur à gauche de 3, à la même distance du haut de 3, ouverture vers la droite.

Fenêtre 5 (violette) : à 2 cm de la droite et du dessous de 4, ouverture vers la gauche. *Fenêtre 6* (noire) : à 1,2 cm de la gauche et du haut de 5, ouverture vers la droite. Tracez le schéma de la fenêtre sur chacune des feuilles de papier et découpez (**3**). Une fois assemblées, vous devez obtenir, fenêtres ouvertes, le résultat présenté en **4**.

Rassemblez photographies et autres éléments de collage (**5**) et commencez par la base (**6**). Disposez les différentes parties du collage et efforcez-vous de visualiser l'aspect de l'ensemble avant de coller définitivement. Les morceaux placés sur les feuilles du dessous peuvent toujours déborder sur les bords et être recouverts par les feuilles suivantes. Une fois la feuille 6 en place, prolongez le dessin à l'intérieur de la fenêtre (**6**). Placez 5 sur 6 et continuez, en plaçant toujours une décoration autour de la partie réservée au message.

Cette carte est conçue pour six personnes, en considérant que l'une d'elles est trop jeune pour écrire son message. Sauf pour le n° 6, chaque message sera écrit au dos de la fenêtre précédente. La première feuille est la couverture. Une fois fermée, elle doit présenter une composition qui soit un message global rappelant l'esprit de tous les messages, comme les titres à la une des journaux, ou encore un dessin simple en harmonie avec l'ensemble. Dans les deux cas, la première ouverture doit être conçue comme partie intégrante du dessin ; on

peut, par exemple, lui donner l'aspect d'une porte (**8**). Charmante manière d'inviter le destinataire à pénétrer au cœur de ce message collectif. Chaque participant peut alors écrire son message sur la fenêtre fermée de la feuille sous son image. La carte est alors terminée.

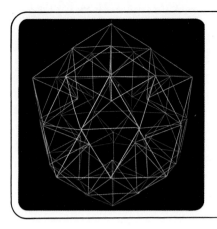

grosse boule
en pailles de papier

Fournitures

200 pailles à boire en papier
1 aiguille à repriser
2 bobines de fil blanc solide
2 crochets, ciseaux

Il est parfois difficile de se procurer
des pailles en papier uni. Elles sont
souvent rayées en diagonale comme
des sucres d'orge. Essayez de trouver
des pailles blanches. Il est possible
d'utiliser des pailles en plastique,
qui sont plus facilement disponibles,
mais elles présentent quelques
inconvénients. A cause de leur mode
de fabrication, elles sont légèrement
courbes et elles ont trop facilement
tendance à se fendre sur toute leur
longueur si on tend le fil un peu
trop. Le seul inconvénient des pailles
en papier est qu'elles sont plus
fragiles que les pailles en plastique.
Si on les manipule trop vivement,
elles se déforment ou se cassent.
Dans l'un ou l'autre cas, il faut
remplacer la paille endommagée.
Toute déformation dans la boule
terminée serait très laide, la réussite
dépendant surtout de la régularité
géométrique.

En utilisant un fil aussi long que le
permet une manipulation facile,
enfilez trois pailles et nouez l'extrémité pour former un triangle ; ne

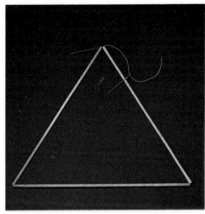

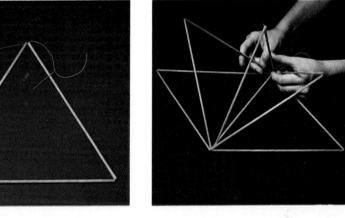

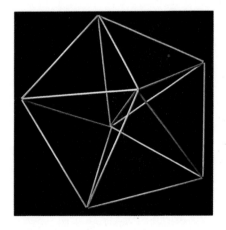

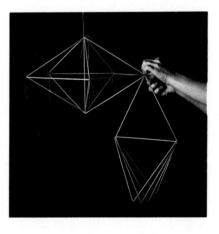

1. Enfilez trois pailles et nouez pour
former un triangle. Laissez le fil.

2. Prenez 8 pailles, enfilez-en 2 à la fois
pour former 5 triangles. Répétez **1** et **2**
onze fois pour obtenir 12 structures.

3. Ajoutez à l'une de ces structures cinq
pailles d'une pointe à l'autre pour
obtenir une forme rigide.

4. Suspendez l'ouvrage à hauteur de
travail puis suspendez une de ces formes
à un angle.

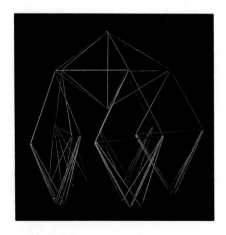

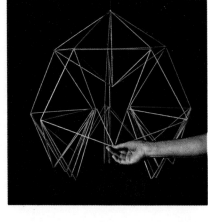

5. Attachez les 4 autres formes aux 4 autres angles pour faire la base de la première demi-boule.

6. Prenez un triangle de la forme suspendue et rattachez-le au triangle le plus proche ; répétez cela tout autour.

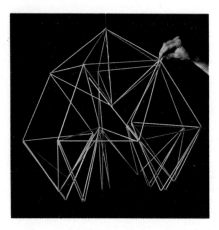

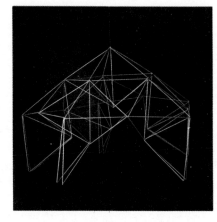

7. Ajoutez 1 paille d'une angle jusqu'aux pointes que vous venez d'assembler, une autre de là à l'angle suivant.

8. Répétez sur les 4 autres côtés ; de cette structure rigide plus grande pendent 10 triangles.

coupez pas le fil. Enfilez les deux autres pailles, début de l'étape suivante de la construction. Répétez cette structure comme dans la figure (**2**) ; recommencez onze fois, et terminez donc avec douze groupes en tout. Mettez en six de côté et commencez par travailler sur les autres. Prenez un des six éléments et ajoutez-lui cinq pailles de façon à en faire une structure rigide comme en **3**. Suspendez alors à hauteur de travail et accrochez les cinq groupes suivants chacun à un angle comme il est indiqué. Chaque structure supporte quatre triangles. Attachez les triangles ensemble, comme en **6**

et commencez l'étape suivante. A partir de cet instant, le processus devient plus difficile à suivre. En utilisant un nouveau groupe de dix pailles, deux à la fois, attachez l'extrémité du fil à un coin d'où vous avez au départ suspendu une des structures, et enfilez une paille (**7**), enroulez le fil autour de la pointe formée par les deux triangles attachés ensemble. Tendez le fil légèrement et enfilez l'autre paille.

Rattachez la suivante à l'angle suivant en tournant. Sans casser le fil, assemblez la paille suivante et continuez comme précédemment.

Lorsque vous aurez utilisé les dix pailles, vous devriez être revenu à votre point de départ. Lorsque vous avez atteint le stade de la figure **8**, vous devez avoir deux triangles suspendus à chaque groupe. En utilisant quinze pailles, trois à la fois, attachez le fil au point situé exactement entre les triangles suspendus d'un groupe et le suivant. Enfilez une paille et rattachez-la au triangle suspendu le plus proche à sa gauche, enfilez une autre paille et rattachez-la horizontalement au triangle le plus proche à sa droite.

Pour terminer, enfilez la troisième paille et rattachez-la au point de départ. Répétez cette opération dans les quatre intervalles restants pour obtenir la figure **10**, c'est-à-dire une demi-boule complète. Si possible, laissez-la suspendue où elle se trouve et commencez l'autre moitié. Vous devriez la faire plus facilement que la première.

La construction d'une boule en paille vous prendra une journée. Avant de la commencer, assurez-vous que vous disposerez de suffisamment de place pour suspendre les deux moitiés. Calculez la taille de la boule terminée. Si vous utilisez des pailles en papier blanc d'environ 25 cm de long, la boule terminée aura pratiquement 1,25 m de diamètre. Si vous utilisez des pailles en plastique de 21 cm, la boule aura environ 93 cm de diamètre. Il est donc recommandé de construire la boule dans la pièce où elle sera suspendue, ou de faire séparément les deux moitiés, puis de les transporter là où elles seront suspendues pour l'assemblage final.

Lorsque vous avez terminé les deux moitiés, il est temps de penser à la finition, avant de l'assembler définitivement. A ce stade on peut soit assembler les deux morceaux, ce qui donne une sorte d'ossature nue, soit recouvrir la boule.

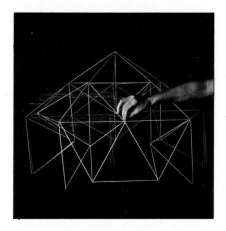

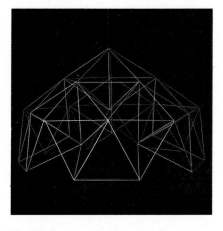

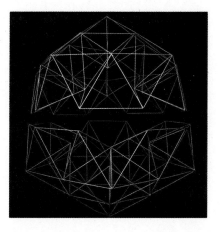

9. Ajoutez 3 pailles : du point d'attache jusqu'au triangle suspendu, puis au suivant, puis au point de départ.

10. Répétez sur les 4 autres faces pour terminer la demi-boule. Répétez **3** à **10** pour faire l'autre moitié.

11. Assemblez les deux moitiés pour former la boule complète et coupez tous les fils qui pendent encore.

BOULE EN PAILLES RECOUVERTE

Fournitures

80 morceaux de papier crépon de couleur
Ciseaux, colle

Si vous voulez recouvrir extérieurement la carcasse de la boule, vous pouvez le faire une fois que les deux moitiés sont assemblées. Découpez au moins 80 triangles, légèrement plus grands que le triangle formé par trois pailles pour réserver un rabat nécessaire au collage. Ensuite, en partant du haut, collez les triangles très soigneusement.

BOULE DOUBLÉE INTÉRIEUREMENT

Fournitures

80 morceaux de papier crépon de couleur
Ciseaux, colle

Si vous désirez recouvrir la boule à l'intérieur, il faudra le faire avant d'assembler les deux moitiés. Ceci pour éviter, bien sûr, d'abîmer les pailles au moment du collage. Travaillez en plaçant les deux demi-boules sur une surface de travail plutôt qu'en les suspendant. Choisissez la couleur de papier crépon et découpez 80 triangles en utilisant comme patron le triangle formé par

12. Demandez à quelqu'un de tenir la demi-boule du dessous pendant l'assemblage.

trois pailles. Placez une demi-boule sur le flanc, intérieur vers vous.

Utilisez une colle en tube avec un embout très fin de façon à pouvoir tirer rapidement et régulièrement un trait de colle le long des trois côtés. Choisissez une colle à séchage rapide pour ne pas risquer d'abîmer les pailles. Travaillez du milieu vers l'extérieur et faites tourner la demi-boule de façon à ce que le triangle que vous êtes en train de coller soit toujours orienté plus ou moins vers le bas. Lorsque vous aurez recouvert les deux moitiés, assemblez-les et suspendez la boule. Si vous souhaitez placer une ampoule à l'intérieur de la boule, ne recouvrez pas un triangle au sommet pour y placer le système de fixation. Vous le fixerez par une fine cordelette en vous assurant que l'ampoule est suffisamment loin des parois (voir p. 20).

fleurs en papier

FLEURS EN PAPIER CRÉPON

Fournitures

Papier crépon de couleur
Fil de fer plastifié vert
Pince coupante, ciseaux
Petit poids

Les fleurs en papier crépon forment une décoration à la fois simple et originale ; elles égayeront de leur couleur et de leur diversité votre cadre de tous les jours, ou donneront un caractère festif à la célébration d'un événement.

Observez les fleurs véritables, imaginez-en en mélangeant couleur, taille et forme. Un catalogue d'horticulture peut vous être très utile pour cette recherche, car beaucoup de plantes y sont représentées en couleur et souvent en gros plan. Choisissez les couleurs et placez-les à côté de la teinte choisie pour le cœur de la fleur (**1**). Placez un poids sur l'extrémité du papier et pliez-le en formant des plis de 2,5 cm. Serrez au milieu en enroulant du fil de fer en descendant tout du long. En manipulant le papier avec précaution, séparez les différentes épaisseurs en les saisissant tout autour une par une. Lorsque vous aurez séparé la dernière épaisseur, rectifiez en coupant ce qui dépasse de l'alignement.

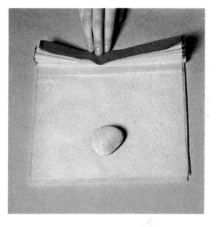

1. Coupez 46 cm de fil de fer et pliez-le en deux. Coupez des bandes de papier crépon.

2. Tracez des lignes sur le papier, faites des plis de 2,5 cm ; posez un poids.

3. Serrez le milieu avec le fil de fer et tordez le fil pour former la tige.

4. Séparez et redressez les épaisseurs du papier l'une après l'autre tout autour.

Pour faire une fleur du genre œillet, choisissez d'abord les couleurs puis faites des entailles avec les ciseaux le long des bords supérieur et inférieur pour faire des franges. Pour obtenir un effet marbré prenez des morceaux de papier ayant la même largeur mais seulement 5 à 10 cm de long et glissez-les entre les épaisseurs de l'autre papier, sans ordre, et effrangez-les de la même manière.

FLEURS A PÉTALES

Fournitures

Papier de couleur
Ciseaux, règle, colle
Carte

Le papier utilisé ici est un papier Japon, fait à la main, coloré dans la masse, au contraire des papiers seulement teints en surface.

Faites une forme qui vous servira de patron pour couper les 15 pétales. Découpez-la dans de la carte forte. Elle devra mesurer 7,5 cm × 3,5 cm.

Divisez les pétales en trois groupes de cinq. Pour les trois groupes, fendez d'un côté sur 2,5 cm. Pour l'autre extrémité du pétale, fendez le premier groupe sur 1,2 cm, le deuxième sur 1,8 cm et le troisième sur 2,5 cm. Encollez les premières découpes en faisant se chevaucher les côtés de la fente pour que le pétale se redresse ; collez ensuite les autres fentes pour que le pétale se courbe dans l'autre sens. Prenez tout d'abord le groupe avec la fente de 1,2 cm et collez-les ensemble en plaçant les fentes les plus courtes vers le haut pour réaliser l'intérieur de la fleur. Retournez et collez les cinq pétales suivants dans les intervalles entre les premiers ; terminez en collant les pétales ayant la découpe de 2,5 cm aux deux extrémités sur le bord extérieur.

Terminez en plaçant le cœur au centre de la fleur.

5. Lorsque toutes les épaisseurs sont tirées, égalisez les bords avec des ciseaux.

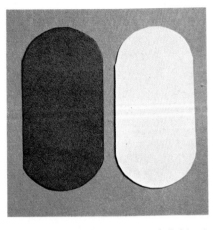

6. Découpez quinze pétales à l'aide du patron en carton.

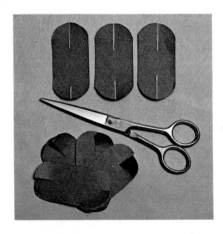

7. Divisez-les en trois groupes de cinq. Mesurez et faites des fentes de différentes longueurs.

8. Encollez toutes les fentes pour mettre en forme les pétales. Assemblez les cinq premiers.

FLEURS A PÉTALES EN CÔNES DE PAPIER

Fournitures

Papiers de couleur
Règle, ciseaux, colle

Cette fleur est très facile à réaliser, mais la préparation des 50 cônes demande du temps. Enroulez des carrés autour de votre majeur (**10**) et collez le long d'un côté. Façonnez la fleur (**11**). Cette structure terminée est très solide et peut, par conséquent, être placée verticalement et servir comme porte-crayons ou porte-pinceaux.

9. Collez en place les autres pétales, puis placez le cœur de la fleur au centre.

10. Découpez 50 carrés de 5 cm que vous enroulerez en cône. Collez-en 16 sur un disque qui servira de support.

11. Collez quatorze cônes par-dessus, puis 12 à la rangée suivante, puis 8 et enfin 3 au milieu.

guirlandes

Fournitures

Papier crépon de couleur
Une feuille de carte
Ciseaux, règle

Lorsque vous tracez les patrons, prenez toutes les mesures nécessaires pour vous assurer que deux éléments adjacents de la guirlande s'emboîteront bien l'un dans l'autre. Choisissez les couleurs de papier que vous voulez utiliser et pliez. Pour la guirlande aux maillons ronds, pliez le papier en deux, puis encore en deux; pour les deux autres guirlandes, vous ne plierez le papier qu'une fois. Placez le patron sur le papier, flèches dirigées vers le pli; dessinez le contour et coupez.

Le papier crépon n'est pas le seul utilisable; on peut parfaitement utiliser du papier blanc ordinaire, en particulier si des enfants participent à la réalisation de cette guirlande. En effet, ils aiment beaucoup orner les guirlandes de leurs propres dessins. L'avantage du papier crépon est qu'en utilisant deux couleurs, on obtient une troisième par leur superposition. L'autre avantage est qu'il est si fin qu'on peut découper ensemble un plus grand nombre d'éléments. Le papier crépon étant assez fragile, il est préférable de commencer la guirlande, puis de l'accrocher au mur

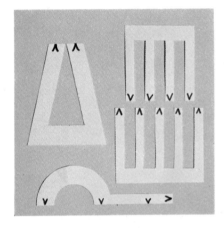

1. Mesurez avec précision, tracez et découpez les patrons.

2. Disposez les patrons sur le papier, flèches contre le pli. Tracez le contour et découpez.

3. Assemblez les éléments. Pour la guirlande en forme de fourche, enfilez chaque élément par le côté du suivant.

4. Choisissez les neuf couleurs et découpez 8 carrés dans chaque. Répartissez en huit groupes de neuf couleurs.

avant de continuer. Accrochez-la dès qu'elle est terminée pour ne pas risquer de l'abîmer. De la fabrication de la guirlande aux éléments ronds reste un grand nombre de disques de papier. Ne les jetez pas ! Enfilez une aiguille, passez-la dans un disque puis dans un morceau de paille d'un centimètre. Continuez ainsi en alternant couleur des disques et couleur des pailles.

On peut utiliser d'autres chutes de formes différentes exactement de la même manière. La fabrication de la boule en papier crépon ci-dessous vous fournira une chaîne toute faite de longueur utilisable.

BOULE EN PAPIER CRÉPON

Fournitures

9 feuilles de papier crépon de couleur
1 feuille de papier fort, carte
Ciseaux, règle, colle
Ruban adhésif

Découpez chaque feuille de papier crépon en huit morceaux et répartissez tout le papier en huit groupes de neuf couleurs chacun. Tracez un plan sur une feuille de papier de 28 cm × 25 cm et tracez des lignes parallèles espacées de 2,5 cm. Marquez d'un X le haut et le bas d'une ligne sur deux. Découpez 50 bandes de papier fort de 2,5 cm sur 23 cm. Placez la première feuille de papier crépon sur le plan, à 1,2 cm à l'intérieur de la première ligne. Avec la règle, tracez des lignes de colle le long de chaque ligne marquée d'un X, puis placez une bande de carte entre chaque ligne de colle. Placez la feuille de papier crépon suivante par-dessus et collez le long des lignes non marquées. Placez les bandes de carte comme précédemment et continuez jusqu'à ce que vous ayez superposé les neuf couleurs. Laissez sécher puis retirez les bandes de carte. Répétez l'opération encore sept fois en utilisant toutes

5. Tracez le plan, marquez d'une croix une ligne sur deux et découpez les bandes de carte.

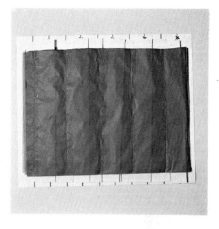

7. Encollez le long des lignes non marquées et masquer avec des bandes de carte entre ces lignes.

9. Collez les 8 piles ensemble en intercalant des bandes entre les épaisseurs que vous collez.

6. Encollez le long des lignes marquées d'une croix, placez les bandes entre ces filets de colle.

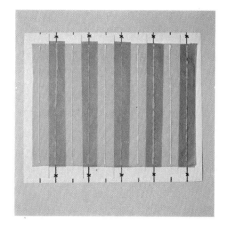

8. Continuez à alterner les lignes de colle pour les 9 couleurs. Après séchage, retirez les bandes.

10. Collez de la carte sur le dessus et le dessous et ouvrez pour vérification.

les feuilles de papier crépon découpées. Collez l'une par-dessus l'autre les huit piles de papier en vous assurant que les lignes de colle au sommet d'une pile correspondent à celles du dessous de la suivante. Collez une feuille de carte au-dessus et en dessous de l'ensemble et, en maintenant celle du haut, laissez pendre le reste pour vérifier que toutes les feuilles sont collées au bon endroit.

L'utilisation des bandes intercalaires en carte est indispensable car aucune colle ne peut coller une épaisseur de papier crépon sans la traverser et coller la suivante.

11. Tracez les deux arcs, les axes placés sur les bords longs, non parallèles aux lignes de colle.

12. Coupez, puis collez un ruban adhésif très solide sur l'arête, ouvrez et fixez avec un trombone.

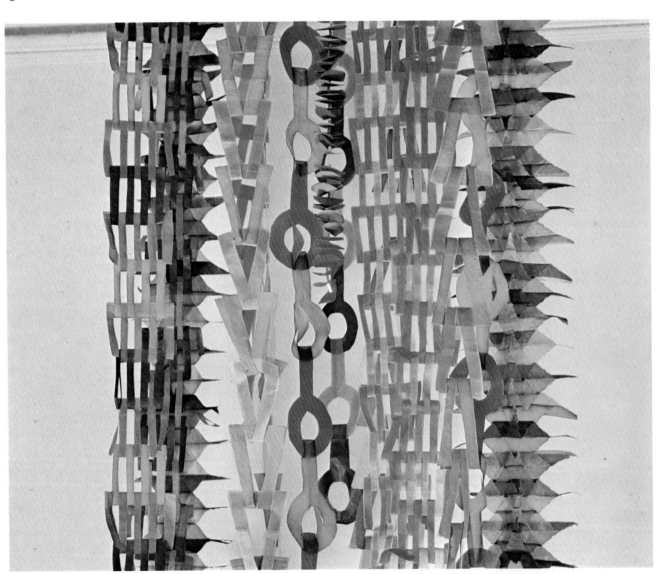

emballages pour cadeaux

Certains emballages de papier sont de réalisation très complexe, mais les formes les plus simples sont souvent celles qui font le plus d'effet. L'emballage en papier le plus simple est en forme de cône : on roule un carré de papier (**1**) et on tord la pointe du cône. Pour emballer des fleurs coupées, placez-les sur le papier avant de le rouler.

Les Japonais sont experts dans la fabrication d'emballages en papier plié n'utilisant pas du tout de colle, basés uniquement sur le pliage et l'emboîtage de certaines parties. Il faut un papier résistant qui, une fois plissé, gardera sa forme : papiers marbrés, papiers Kraft imprimés, papiers forts, etc. Une autre méthode consiste à utiliser deux épaisseurs superposées de papier d'emballage de couleurs différentes, l'une des deux formant une sorte de doublure. L'emballage peut être plat comme une enveloppe, pour recevoir perles, foulards de soie et accessoires similaires, ou bien avoir un volume d'une certaine hauteur, ce qui en fait une véritable boîte prête à recevoir les objets les plus divers.

BOURSE
EN FORME D'OCTOGONE

Deux carrés de papier de couleurs contrastantes

1. Placez le carré en diagonale, motif vers l'extérieur, enroulez, rabattez la pointe.

2. Un octogone sera exécuté dans un carré de papier, un deuxième carré servant de doublure.

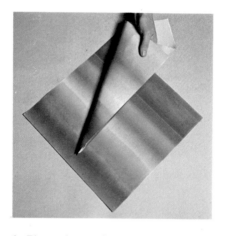

3. Pliez le papier en quatre en marquant bien les plis.

4. Pliez le papier en diagonale d'angle à angle dans les deux sens.

5. Mesurez à partir du centre et recoupez les diagonales pour que tous les plis aient la même longueur.

6. Intérieur vers le haut, rabattez chaque côté de l'octogone vers le centre. Écrasez les plis.

7. Repliez vers le centre selon le modèle, toujours dans la même direction, sur les huit côtés.

8. Pour maintenir en forme marquez fermement les plis.

9. Lignes bleues : plis du côté du papier intérieur ; lignes rouges : plis du côté du papier extérieur.

10. Relevez les côtés, repliez les rectangles vers l'arrière et fermez en repliant vers le centre en diagonale.

Le papier utilisé ici est un papier marbré imprimé d'un seul côté ; par contraste, on a utilisé en guise de doublure un papier japonais de couleur unie (**2**). Placez les deux papiers envers contre envers et pliezles comme un seul morceau. Le papier est alors plié, intérieur vers le haut, en forme de drapeau anglais (**3** et **4**). On obtiendra facilement un octogone en réduisant les angles au niveau des côtés, c'est-à-dire en ramenant les diagonales à la longueur des lignes verticales et horizontales (**5**). Chacun des huit côtés sera alors rabattu vers le centre (**6**). On obtient ainsi le pliage de base. Formez la bourse en laissant les côtés retomber vers le milieu (**7**) en suivant toujours la même direction et en appuyant pour qu'ils gardent leur place. Si les plis sont bien marqués, l'emballage peut être ouvert, rempli et reprendre automatiquement sa forme (**8**).

BOÎTE A CADEAU

Deux carrés de papier de couleurs contrastantes

Pour lui donner sa forme cubique le schéma de pliage de la boîte comprend un carré inscrit dans un autre carré (**9**). Pour calculer les dimensions, pensez que la hauteur de la boîte sera la moitié de la longueur des côtés.

Superposez les deux papiers comme pour l'octogone et suivez le schéma pour le pliage (**9**), en marquant les plis de façon très nette, pour obtenir des arêtes vives. Les longues lignes rouges du schéma indiquent les pliages vers l'arrière pour obtenir des rectangles en haut de la boîte terminée faisant apparaître ainsi le papier de la doublure. Redressez les parois par rapport à la base et repliez vers l'intérieur en forme de bourse en suivant les lignes de pliage indiquées par les lignes rouges courtes. Formez le dessus (**10**), chaque partie s'emboîtant pardessus la partie du devant.

cuisson en papillotte

Le papier a de nombreuses utilisations en cuisine et cela depuis des siècles. Il agit comme isolant et répartit la chaleur régulièrement pendant toute la cuisson, empêchant ainsi la nourriture de brûler.

On place du papier parchemin sur de gros rôtis ou des volailles ; on double de papier sulfurisé les moules dans lesquels les cakes gorgés de fruits confits cuiront longtemps et doucement. On cuira également des petits fours dans leur barquette de papier individuelle, celles-ci sont solides et imperméables à l'eau et à la graisse.

HARENGS EN PAPILLOTES

Papier sulfurisé (papier parchemin)
Huile d'olive ou beurre, pinceau
2 harengs, 60 g de beurre
2 gousses d'ail, fines herbes, basilic, persil
Un demi-citron, poivre noir, sel
Une pincée de moutarde

La cuisson en papillote consiste à enfermer la nourriture dans une enveloppe de papier avec des herbes et l'assaisonnement et un peu de matière grasse. La nourriture ainsi enveloppée ne se dessèche absolument pas. Aucun ustensile n'est nécessaire. Vous placerez la papillote sur la grille dans un four

1. Posez les poissons sur la moitié inférieure du papier sulfurisé.

2. Rabattez les bords vers l'intérieur tout autour en écrasant le pli.

3. En prenant les plis du haut et du bas, tordez les coins en enroulant très serré.

4. Retirez du four et ouvrez la papillote.

moyen. Vous la présenterez même à table dans son papier de cuisson. Ce mode de cuisson n'utilise pas d'eau et conserve aux aliments leurs précieuses vitamines dans leur totalité. En utilisant de préférence du sel marin et du poivre noir, vous ferez ressortir encore mieux toutes les saveurs.

Commencez par nettoyer les poissons, puis mélangez beurre et fines herbes qui serviront de farce. Vous mélangerez bien ce beurre avec l'ail, les fines herbes finement hâchées puis vous ajouterez les épices, le sel, la moutarde et le poivre fraîchement moulu ; humectez avec un peu de jus de citron.

Prenez une feuille de papier sulfurisé suffisamment grande pour contenir enfermés les deux poissons et, à l'aide d'un pinceau, enduisez-la à l'intérieur d'huile ou de beurre. Farcissez les harengs et disposez-les au milieu de la partie inférieure du papier (1) ; placez une rondelle de citron sur chaque poisson et saupoudrez généreusement de persil hâché. Rabattez la moitié supérieure de la feuille de papier par-dessus les poissons, repliez les bords vers l'intérieur, en enroulant les coins pour former un emballage hermétique (3). Placez sur grille dans un four pré-chauffé à 200° et laissez cuire 40 minutes.

On peut cuire en papillotes d'autres poissons, des viandes ou certains légumes, comme les pommes de terre. Celles-ci, cuites ainsi, sont réellement délicieuses. Il vous suffira de les brosser en les lavant ; ne les pelez pas et, si elles sont petites, cuisez-les entières. Sinon coupez-les en deux ou en quatre, placez-les sur un papier graissé en les saupoudrant généreusement de persil et d'ail hâché, assaisonnez et recouvrez de petites noisettes de beurre. Repliez et fermez la papillote, cuisez pendant 45 minutes.

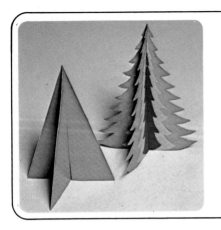

formes emboîtables

ARBRE ET ÉTOILE

Fournitures

1 feuille de carte
Cutter, ciseaux, règle, fil
Papier gommé de couleur

Tracez et découpez deux triangles de 15 cm de base et 20 cm de côté.

Recouvrez les deux faces des triangles de papier gommé et coupez ce qui dépasse. C'est à ce stade que vous découperez les bords si vous voulez faire le sapin illustré ici.

Tracez une ligne verticale de la pointe au centre de la base des triangles. Marquez le milieu de ces lignes. Coupez le long de cette ligne : du haut jusqu'au milieu de la ligne sur un triangle, du bas jusqu'au milieu sur l'autre triangle. Ces fentes doivent avoir la même épaisseur que la carte elle-même pour permettre l'emboîtage.

Pour faire les étoiles, décorez une face de la carte avec des rayures horizontales et l'autre face avec des rayures verticales. Découpez deux étoiles à quatre branches identiques. Mesurez et découpez les fentes comme pour les arbres et emboîtez.

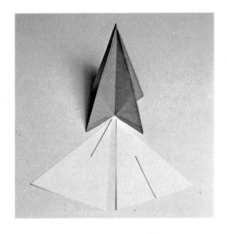

1. Découpez des triangles et recouvrez-les de papier gommé. Mesurez et découpez la fente. Emboîtez.

2. Décorez la carte. Dessinez et découpez les étoiles. Découpez la fente et emboîtez.

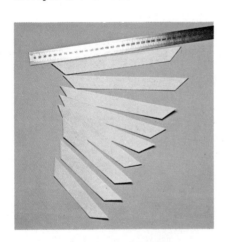

3. Découpez toutes les bandes et coupez en biais les extrémités (2,5 cm).

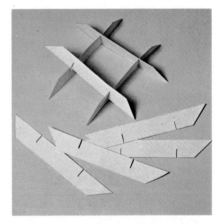

4. Faites les fentes pour chaque groupe (1,2 cm) et emboîtez chaque groupe de quatre.

ABAT-JOUR
EN FORME D'ARBRE

Carte de 1 × 1 m
Cutter, règle métallique
Stylo feutre, crayon, ciseaux

Découpez la carte en bandes de
2,5 cm de large. Découpez d'abord
quatre longueurs de 30 cm de long,
puis les quatre suivantes 1,2 cm plus
courtes et ainsi de suite, les der-
nières bandes mesurant 13,6 cm de
long. Prenez d'abord les bandes les
plus longues, mesurez 2,5 cm et
5 cm à partir des deux extrémités,
puis coupez en biais les extrémités
jusqu'à la première marque. En
utilisant la deuxième marque, tracez
une ligne dans la largeur de la
bande et marquez son milieu.
Prenez deux bandes dans chaque
groupe et fendez le long de la moitié
de cette ligne de bas en haut, puis
prenez les deux autres bandes et
fendez le long de cette même ligne,
cette fois de haut en bas toujours
jusqu'au milieu. Chaque groupe de
quatre doit ainsi s'emboîter pour
former un carré.

Placez le carré le plus grand sur une
surface plane et placez le carré de
dimensions immédiatement infé-
rieures par-dessus en diagonale.
Faites une marque aux points où ils
se touchent et découpez-y des fentes
de 8 mm. Emboîtez les deux carrés
et placez le troisième par-dessus le
deuxième parallèlement au premier ;
faites de nouvelles fentes et répétez
l'opération. Lorsque vous aurez ainsi
emboîté tous les carrés, chapeautez
l'ensemble de deux triangles emboîtés. Si vous avez des difficultés pour
l'alignement de vos carrés, découpez
un carré de 38 cm de côté, tracez ses
diagonales et ses moitiés, puis disposez les carrés par-dessus. Le
premier carré sera légèrement collé
avec une colle au caoutchouc qui
sera retirée par la suite par frottement. Pour rendre l'ouvrage plus
durable, encollez les fentes avant
emboîtage. Illuminez l'arbre avec
une petite ampoule de 15 watts.

5. Posez le carré le plus grand, puis
superposez le suivant en diagonale et
marquez les points où ils se touchent.

6. Coupez les fentes et emboîtez les
carrés jusqu'au dernier. Placez deux
triangles emboîtés au sommet.

boîtes gigognes

11 feuilles de papier de couleur
Règle métallique, ciseaux

Choisissez et disposez dans l'ordre voulu onze couleurs. En commençant par le papier du dessus de la pile, découpez un carré de 15 cm de côté. Puis, en utilisant tour à tour chacune des feuilles suivantes, réduisez à chaque fois de 1 cm le côté du carré. Vous terminerez ainsi par un carré de 5 cm de côté.

Suivez le schéma de pliage en veillant à faire des plis bien nets. Chaque boîte terminée doit s'adapter parfaitement à l'intérieur de la précédente.

Pour décorer les boîtes découpez un carré de papier de la couleur de la première boîte pour décorer la deuxième boîte, un morceau de papier de la couleur de la deuxième boîte pour décorer la troisième, et ainsi de suite ; avec la couleur de la boîte la plus petite décorez la plus grande. Une décoration très simple utilise la méthode du pliage et découpage de la page 9. Pliez un carré de papier en deux, puis encore en deux et entaillez les bords. Ouvrez le carré, vous obtiendrez une sorte de motif en flocon de neige que vous collerez sur le dessous de la boîte.

Ces boîtes feront de très beaux

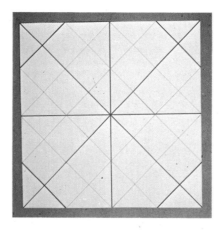

1. Papiers à plat, côté blanc visible. Pliez suivant le schéma (bleu vers l'intérieur, rouge vers l'extérieur).

2. Tournez pour faire les diagonales et rabattez deux coins opposés vers le milieu.

3. Relevez les côtés. Faites des plis nets.

4. Repliez les coins vers l'intérieur pour former le début du troisième côté de la boîte.

cadeaux ; on pourra placer un présent de petite taille dans la petite boîte, la suivante retournée par-dessus servant de couvercle. Retournez celle-ci et placez la boîte suivante par-dessus comme couvercle et continuez jusqu'à ce que vous ayez emboîté toutes les boîtes.

Il est possible de faire les mêmes boîtes plus grandes, mais il faudra alors utiliser soit du papier plus fort soit le même papier mais en le doublant d'un autre papier ou de carte fine. Compensez l'augmentation d'épaisseur en doublant l'écart entre les dimensions des carrés, en passant de 1 cm à 2 cm.

5. Ramenez le rabat par-dessus et pliez-le sur la base. Rectifiez les angles.

6. Pour terminer répétez de l'autre côté les étapes **4** et **5**.

masques en papier

Un masque est un accessoire dramatique représentant un personnage ou exprimant une émotion. En quelque sorte, une nouvelle identité. Une simple découpe bien orientée dans un morceau de papier et un pli suffisent parfois.

Les animaux présentent des caractéristiques différentes : force, ruse, puissance. Étudiez la tête des animaux et déterminez les traits caractéristiques que vous utiliserez pour la forme générale du masque.

LAPIN

Une feuille de papier « cuir » gris de 60 × 28 cm
Un morceau de papier violet
2 bandes de papier rouge de 60 × 5 cm
Bandes de papier noir
Reste de papier blanc
Ciseaux, colle

Le masque du lapin aura pour forme générale celle d'un crâne d'animal ; celle-ci pourra être modifiée légèrement pour représenter un mouton ou un chien. Les traits permettant de reconnaître un lapin sont ses oreilles et ses dents. On peut accessoirement ajouter des moustaches et la langue.

Le masque avec la bande qui enserrera la tête par derrière est découpé d'une seule pièce (1). De la

1. Pliez le papier, dessinez le masque, nez contre le pli ; assemblez les moustaches, la langue et les dents.

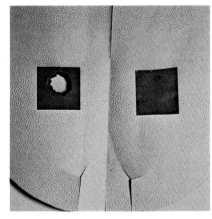

2. Collez le papier violet sur les trous des yeux, découpez les cils, rabattez sur le devant.

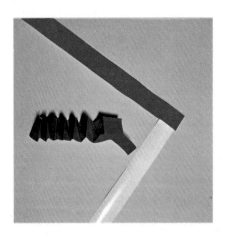

3. Coupez les bandes pour la langue. Assemblez à angle droit et pliez l'une par-dessus l'autre successivement.

4. Glissez les dents dans la fente et collez. Collez la langue sur le menton et les moustaches sur les joues.

pliure du milieu au niveau du nez jusqu'à l'arrière de la tête, mesurez 30 cm. Du haut du front jusqu'au menton mesurez 28 cm. La distance du milieu du cercle de l'œil jusqu'au pli du nez est de 5,5 cm et le diamètre de l'œil est de 3,5 cm. Découpez les moustaches dans de fines bandes de papier noir dont vous couperez les extrémités dans le sens de la longueur ; vous les bouclerez ensuite pour les ébourrifer. Pour faire ressortir les yeux collez un carré de papier violet sur l'envers ; grâce à ces sortes de cils (**2**), le regard du lapin sera plus expressif. Formez la mâchoire en

coupant de chaque côté de la fente pour les dents et assemblez les morceaux par derrière (**3**).

Les oreilles sont les deux morceaux supérieurs du patron qui seront légèrement rabattus et collés. Le morceau du bas est le tour de tête. Avant de coller celui-ci, essayez le masque pour qu'il soit à la bonne dimension. Faites la langue et ajoutez les dents.

AIGLE

Papier doré : 50 × 30 cm
Papier métallique rouge : 28 × 23 cm
Bande de papier pour le tour de tête

L'aigle est un animal à la fois puissant et séduisant. Découpez le masque et la cocarde après les avoir dessinés. Coupez le long de la ligne en travers du pli (**6**) et en descendant le long du pli sur 7,5 cm. Le pli pour le bec devra être calculé en fonction de l'espace nécessaire entre les deux fentes des yeux pour voir correctement. Placez le masque devant votre visage pour déterminer la distance avant de coller le bec et la partie entre les yeux (**7**). Bouclez légèrement les bandes dorées et ajoutez la cocarde (**8**), en veillant à bien la placer au-dessus des fentes pour les yeux. Fixez la bande.

5. Le masque mesure 30 cm de long. Largeur jusqu'au pli : 25 cm. Cocarde : 25 cm de long, 14 cm jusqu'au pli.

6. Découpez les fentes des yeux, les franges au-dessus des yeux et bouclez les extrémités du bec.

7. Fixez des bandes de papier métallique bouclées derrière le masque après avoir encollé entre les yeux.

théâtre magique

Fournitures

Structure du théâtre :

Carton solide : 76 × 50 cm, pour la base
2 côtés de 50 × 45,5 cm
Un haut de 56 × 42 cm
Un fond de 63,5 × 50 cm
Bois ou carton pour renforcer les côtés et le haut.
2 morceaux pour chaque côté et 2 pour le haut
Papier noir pour recouvrir toutes les surfaces, intérieur et extérieur ou peinture noire

Manteau d'arlequin :

Épais papier noir : 66 × 15 cm pour le haut et le bas ; 60 × 15 cm pour chaque côté
Colle (caoutchouc), colle à bois
Ruban adhésif, cutter

La structure de base de ce théâtre est une boîte repliable, aux utilisations multiples. Elle se compose d'une base, d'une coque creuse qui s'adapte par-dessus avec un fond amovible, et d'un manteau d'arlequin (nom qu'on donne à l'encadrement du devant de scène figurant des rideaux relevés), en quatre parties.

Les parties principales seront en carton solide, le manteau d'arlequin en papier fort. Comme toute l'attention des spectateurs doit être centrée

1. Pliez les côtés du carton à 90° pour former la base.

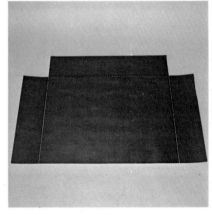

2. Recouvrez l'intérieur et l'extérieur de la base avec deux de ces morceaux.

3. Collez des renforts à l'intérieur de la carcasse. Réservez 3 mm entre le haut et les côtés pour pouvoir la replier.

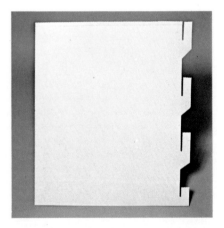

4. Mesurez les crochets soigneusement, découpez des fentes de l'épaisseur de la carte.

sur ce qui se passe à l'intérieur, la boîte du théâtre sera noire, soit peinte, soit recouverte de papier noir (ce qui la renforcera par la même occasion). Ne diluez pas trop la peinture pour ne pas déformer le carton. Les dimensions de ce théâtre sont données à titre indicatif, elles conviennent bien à une pièce de dimensions moyennes. Il est possible de modifier l'échelle en conservant les proportions.

Commencez par la base et, à partir de là, déterminez les autres cotes. La base est une sorte de couvercle retourné, auquel il manquerait un côté. Sur le morceau de carton prévu pour la base, tracez une ligne à 10,2 cm à l'intérieur des bords des deux côtés courts et une le long du long côté. L'intérieur de ce tracé forme la scène. Avec le dos de la lame d'un couteau, striez le long de ces lignes avant de replier le carton (voir page 26) et retirez les carrés formés aux deux angles. Retournez la base et redressez les côtés, en renforçant à l'intérieur avec du ruban adhésif et en appliquant sur les coins du ruban adhésif, à l'intérieur comme à l'extérieur (1).

Recouvrez la base du papier découpé aux bonnes dimensions (2), sur l'intérieur, et peignez en noir ou recouvrez de papier noir l'extérieur. Pour former la coque prenez la carte prévue pour les deux côtés et le haut. Les côtés ont 50 cm de hauteur sur 45,5 cm de large ; le haut mesure 56 cm de large sur 42 cm de profondeur. Les 4 cm en plus de largeur des côtés sont prévus pour recevoir le système de fermeture de l'arrière.

Il est peu probable que vous disposiez d'un morceau de carton suffisamment grand pour la structure entière et il vous faudra prévoir d'assembler un ou deux côtés. Placez les deux parties à assembler bord à bord et collez un ruban adhésif très résistant sur l'intérieur. Pliez à angle droit et collez du

5. Faites les crochets du fond à l'inverse de ceux des côtés pour qu'ils puissent s'emboîter.

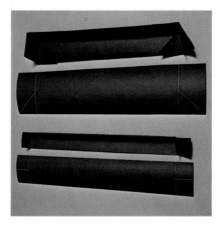

7. Pliez les pièces du manteau d'arlequin dans le sens de la longueur ; coupez, repliez les extrémités et collez.

9. Faites un trou au milieu du fond pour y passer l'axe. Collez des rondelles des deux côtés.

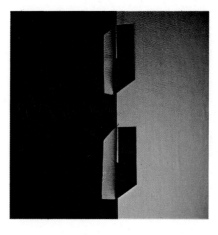

6. Une fois bien emboîtée, la carcasse sera bien assemblée et rigide.

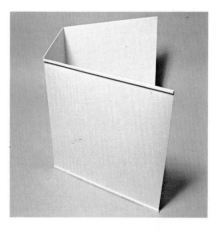

8. Striez et pliez le triptyque intérieur (côtés de 40 cm, fond de 30 cm). Collez les baguettes de renfort.

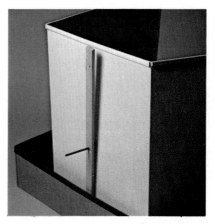

10. Placez le support de bois au milieu du fond, percez-le d'un trou au niveau de l'axe.

51

ruban adhésif sur l'extérieur. Il est maintenant possible de renforcer cette coque (**3**) soit avec du carton soit avec de fines lattes de bois. Les renforts de la partie arrière des côtés doivent recouvrir une largeur de 4 cm pour permettre d'y placer le système de fermeture.

L'arrière a la même hauteur que les côtés, mais est plus large de 4 cm pour recevoir le système de fermeture. Les figures **4** et **5** montrent la forme des découpes permettant de réaliser celui-ci. Lors de ce découpage, prévoyez une distance suffisante entre les dents pour pouvoir appuyer l'arrière contre les bords des côtés avant de l'emboîter. Ces dents ont 10 cm de long avec une fente de 5 cm, sont espacées de 5 cm et se terminent en bas par une dent de 5 cm avec une fente de 2,5 cm. On retire le carton des découpes pour permettre un emboîtage facile. Pour l'arrière suivez le même schéma que pour les côtés mais en inversant le sens des dents et des fentes. Pour emboîter l'arrière, placer la coque face en bas, mettez-le en place, puis redressez l'ensemble que vous installez sur la base. La structure est désormais parfaitement rigide (**6**).

Découpez les différentes parties du manteau d'arlequin (**7**). Deux méthodes d'assemblage des angles vous sont présentées ici, soit à angle droit, soit à onglet (45°). Suivez les schémas de la figure **7**. On place alors ces différentes parties sur le haut, le bas et les côtés de la boîte. Dans cet exemple elles ne sont pas décorées mais recouvertes entièrement de noir. La boîte est maintenant terminée.

DISQUES ROTATIFS

Fournitures

Triptyque intérieur :

Carton : 1,20 × 40 cm
Baguette de 6 mm de large pour renforcer le haut et le bas
Colle, cutter

11. Collez les petits cylindres à l'arrière des disques, enfoncez les axes et vissez très serré.

12. Faites des entailles dans la baguette pour qu'elle s'emboîte sur les montants du triptyque.

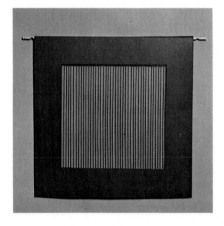

13. Coupez l'acétate, faites les rayures noires. Faites le cadre de papier noir, il passe sur la baguette.

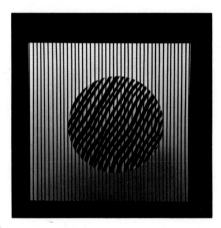

14. Effet obtenu lorsqu'on a installé l'éclairage (petite lampe à piles).

15. Découpez de l'acétate translucide aux dimensions voulues, collez dessus des morceaux d'acétate de couleur.

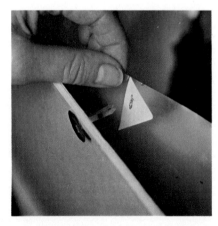

16. Introduisez les attaches au sommet des deux côtés du triptyque. Fixez le miroir en feuille. Ouvrez les attaches.

Disques en carton comportant différents motifs (d'un diamètre inférieur à la largeur de la scène)
Fines tiges de métal de 9 cm de long
Petits cylindres avec vis sans tête pour fixer ces tiges aux disques
Support en bois : 40 × 2 cm
6 rondelles métalliques pour passer les tiges de métal à travers le fond, le triptyque et le support
Baguettes de bois de section carrée de 6 mm à suspendre en travers de la scène et mesurant 47 cm de long
Acétates transparents et de couleur pour faire les décors

Papier noir pour encadrer les décors
Éclairage de faible intensité à suspendre entre le disque et le décor, relié soit au secteur soit à des piles.
Petit moteur d'environ 15 tours/minute

Le triptyque se compose d'un fond dont les côtés sont fuyants, ce qui, par perspective, dirige automatiquement le regard vers le milieu du fond. On fera ce fond de la même manière que la coque du théâtre en renforçant le haut et le bas à l'extérieur sur ces trois parties (**8**). Dans la partie arrière, on fore un trou pour faire passer la tige soutenant un disque. Le trou est au centre mais un peu au-dessus à partir du bas (**9**). Les rondelles l'empêcheront de se déchirer. Le support en bois placé derrière (**10**) est traversé par l'axe du disque qui sera actionné à la main ou avec un moteur électrique.

Décorez les disques en peignant de la carte fine et collez un petit cylindre avec une vis sans tête à l'arrière (**11**). Ajoutez une rondelle de plastique ou de caoutchouc autour de la tige pour éviter que le disque n'accroche. Faites un trou dans le fond du théâtre et protégez-le de chaque côté par une rondelle avant d'y passer la tige. Protégez de la même façon tous les trous où elle sera passée.

Vous pouvez maintenant monter le disque. Si vous utilisez un moteur à piles, installez-le derrière le théâtre à bonne hauteur. Si l'axe du moteur est suffisamment long, vous pourrez y adapter directement le disque. Sinon, raccordez les deux axes.

Les écrans sont en acétate et sont placés devant le disque, accrochés à une baguette munie d'encoches et posée sur le triptyque (**12** et **13**). On peut également placer une lampe entre le disque et l'écran.

L'effet moiré est obtenu grâce à un disque décoré de lignes noires tournant derrière l'écran immobile comportant des traits noirs. Le disque de couleur (**15**) présentera des formes qui semblent sauter d'arrière en avant dans l'espace à chaque changement de couleur. Faites des essais avec des formes et des couleurs différentes.

MOBILE ET REFLETS
Fournitures

Miroir en feuille (support en plastique recouvert d'une substance très réfléchissante) : un morceau pour recouvrir la base ; un morceau de la hauteur et de la longueur du périmètre de la scène courbe
2 attaches métalliques (ou clous 2 têtes)
2 petits morceaux de papier gommé
Un carré de carte de 15 cm de côté
Morceaux de papiers de couleur assortis
Baguette de bois ronde
Fil pour suspendre le mobile
Colle caoutchouc

Ce mobile, d'exécution très simple, produit en tournant un effet extraordinaire et des formes mouvantes qui semblent n'avoir que peu de rapport avec l'image réelle et rendent difficile de déterminer sa position exacte. Le miroir en feuille se marque très facilement, manipulez-le donc avec grand soin et servez-vous d'un plumeau pour l'épousseter. Découpez une feuille aux dimensions de la base du

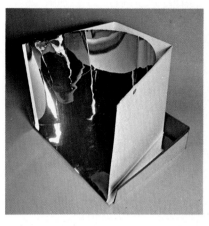

17. La feuille miroir tombe librement ; les images obtenues sont meilleures. Replacez le triptyque dans le théâtre.

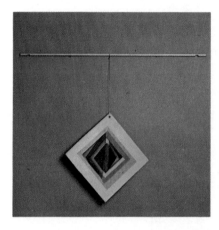

18. Suspendez le mobile à une baguette et vérifiez qu'il pend à la bonne hauteur pour pouvoir se déplacer.

19. Suspendez le mobile dans le triptyque. Faites des essais avec différentes sources de lumière.

théâtre et posez-la à sa place. Avec les attaches métalliques, traversez le triptyque intérieur et la feuille miroir, rabattez l'attache et cachez le trou avec du papier gommé (**16**); laissez pendre la feuille en formant une courbe à l'arrière (**17**). Placez l'ensemble dans le théâtre. Fabriquez un mobile avec des formes prédécoupées et colorées de couleurs différentes, collées sur les deux faces. Enfilez un fil de coton à un angle et suspendez au bout d'une baguette (**18**). Vous pouvez suspendre de la même manière plusieurs mobiles plus petits. Le miroir en feuille est une substance réfléchissante sur un support plastique dont le pouvoir réfléchissant est à peu près le même que celui du verre argenté. La feuille d'aluminium ne donnera jamais le même effet.

théâtre d'ombres

Fournitures

Comme précédemment pour la structure du théâtre moins le fond
Carton pour l'écran : 2 côtés de 50 × 30 cm, 1 devant de 56 × 50 cm
Baguette de bois pour renforcer (5 × 15 mm) : deux de chaque côté, deux pour le haut
Ruban adhésif ou papier gommé
Colle caoutchouc, colle à bois
Papier-calque ou très fin papier blanc : 55 × 50 cm
Couteau, cutter, règle
Lampe électrique d'environ 60 W

Le théâtre de marionnettes peut être présenté également dans la structure du théâtre réalisée précédemment. Les ombres chinoises sont aussi un spectacle divertissant qui donne l'occasion d'exercer son imagination et ses talents. Les personnages seront inspirés des anecdotes de la vie courante, des pièces ou des contes de fée. Les marionnettes peuvent être également stylisées, caricaturées, etc. L'effet obtenu sera encore plus réussi lorsqu'on associera au spectacle des marionnettes, sonorisation ou musique enregistrée, ce qui permet une véritable chorégraphie rythmée se déroulant dans une atmosphère particulière. Un jeu récréatif peut être organisé lors des représentations de plusieurs scènes

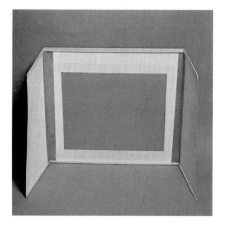

1. Collez soigneusement le papier sur l'ouverture en l'étirant un peu pour obtenir un écran bien tendu.

2. Maintenez les silhouettes contre l'écran, en gardant vos mains derrière la source lumineuse.

3. Découpez les parties à assembler. Percez des trous là où vous devrez placer œillets et fils de fer.

4. Formez un 8 au bout du fil de fer, passez dans un trou et fermez en formant un 8 de l'autre côté.

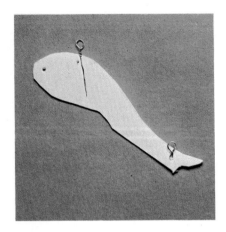

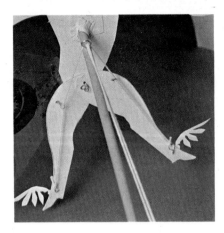

5. Faites des œillets en fil de fer dans lesquels passeront les fils. Fermez-les en formant un 8.

6. Placez le bout de la baguette taillée en biseau contre la silhouette, piton sur le dessus.

7. Attachez le fil à chaque œillet des chevilles, passez-le à travers ceux des cuisses puis dans le piton.

courtes en faisant participer les spectateurs, entre deux numéros, à des sortes de devinettes ou de charades mimées.

Pour un théâtre d'ombres chinoises il faut un écran face aux spectateurs. Il aura la forme d'un triptyque comme dans le chapitre précédent, avec cette différence que l'arrière sera ici le devant, et qu'il devra obstruer entièrement l'ouverture du théâtre.

Vérifiez les dimensions de bas en haut et horizontalement. Les côtés doivent être assez longs pour soutenir la structure tout en demeurant invisibles. Découpez, pliez la carte et renforcez les joints avec du ruban adhésif, en laissant du jeu pour qu'il fasse charnière ; ceci pour faciliter le rangement.

Pour faire l'écran découpez une fenêtre dans le devant, en réservant une bordure de 40 cm tout autour. Découpez une feuille de papier calque ou de fin papier blanc plus grand que l'ouverture de 2,5 cm tout autour et fixez-la (**1**) à l'aide de ruban adhésif double-face ou de colle caoutchouc. Placez les renforts de bois en haut et en bas de l'écran et tout autour de la structure. Posez le théâtre sur une table derrière laquelle on pourra bouger librement

et retirez l'arrière du théâtre. Laissez le manteau arlequin en place pour maintenir l'ensemble et inversez la base en plaçant l'extrémité ouverte derrière. Glissez la structure portant l'écran à l'intérieur pour qu'elle trouve bien sa place sur le devant et ouvrez les côtés. Placez une lampe sur la base en l'orientant vers l'écran (**2**). Le théâtre est prêt. Le but recherché est d'illuminer la plus grande partie d'écran possible et la lumière doit impérativement être placée entre l'écran et le marionnettiste.

MARIONNETTES POUR OMBRES CHINOISES
Fournitures

Une feuille de carte
Fines baguettes rondes, d'environ 50 cm de long, une par marionnette
Punaises, pitons (un par baguette)
1 m de fil solide
Ruban adhésif, colle
Fil de fer de fleuriste, pince coupante
Acétate de couleur
Gros cutter, poinçon

Ces marionnettes d'ombres chinoises doivent être aussi plates que possible, car plus elles touchent l'écran plus elles font une ombre foncée.

Elles peuvent être rigides avec leurs différentes parties collées, ou mobiles si on les assemble avec du fil de fer, leurs membres s'agitant selon les mouvements de la baguette.

On peut également les faire totalement articulées en fixant des fils à toutes les articulations.

Imaginez toutes les formes susceptibles de créer des ombres intéressantes et, en vous servant de carte, faites un patron en réservant des marges pour le léger chevauchement nécessaire aux parties à assembler par collage ou fil de fer (**3**).

Assemblez les parties avec le fil de fer (**4**). Pour les têtes ou les ailes le fil de fer peut être relativement serré pour les maintenir dans la position choisie ; celle-ci cependant pourra facilement être modifiée pour chaque scène. Dans les parties articulées, le fil de fer doit être suffisamment lâche pour leur permettre de revenir en place. Fixez des œillets en haut et en bas de chaque jambe, du côté qui fait face au marionnettiste et sur leur bord extérieur (**5**). Collez alors toutes les décorations. Prenez la tige ronde et vissez-y le piton à environ 2,5 cm du bout. Coupez l'extrémité de la tige en biseau, maintenez la marionnette bien à plat contre la baguette et clouez une pointe ; renforcez avec du ruban adhésif (**6**). Prenez deux morceaux de fil, un pour chaque jambe et fixez en un à l'œillet de chaque cheville ; enfilez comme il est indiqué en **7** et tirez doucement pour voir si les membres bougent librement. Faites une marque ou utilisez des fils de couleur différente pour différencier le côté gauche du côté droit. En tirant doucement sur les fils, les jambes se lèveront, en les relâchant elles s'abaisseront. On

peut manipuler par cette méthode les bras ou toute autre partie. Évitez cependant de placer trop de fils.

Faites toujours des marionnettes proportionnées à l'écran. Vous pouvez aussi ajouter un décor (arbres, maisons, château de fée, étoiles, lune) qui sera collé contre l'écran avec du ruban adhésif double-face et changé entre les scènes.

papier mâché

COUPE SUSPENDUE

Fournitures

Journaux, papier crépon
Ciseaux, ficelle
Colle à papier peint
1 assiette, 3 coupes, 1 balle

La fabrication du papier mâché demande beaucoup de temps et de patience. Déterminez d'abord les dimensions de la coupe que vous voulez réaliser et trouvez une balle de la même taille. Pour éviter à la balle de rouler trouvez-lui un support, par exemple un rouleau de ruban adhésif. Commencez par préparer tout le papier en le découpant en triangles. Placez le journal découpé dans une coupe et le papier crépon dans une autre. Il est très important d'utiliser deux sortes de papier pour bien distinguer une couche de la précédente. N'utilisez de l'eau que pour la première couche sinon la coupe terminée collerait tout entière à la balle. Les couches suivantes seront seulement imbibées de colle ; plus vous ferez de couches mieux ce sera. Laissez sécher suffisamment longtemps.

1. Plongez du papier journal dans de l'eau et recouvrez-en une balle en partant du milieu vers les bords.

2. Recouvrez alors d'une couche de papier crépon, puis de journal, imprégnés de colle. Faites cela quatre fois.

3. Laissez sécher une journée, retirez la balle et égalisez les bords.

4. Recouvrez intérieur et extérieur de peinture brillante. Enfilez la ficelle en trois points du bord et suspendez.

5. Modelez la tête dans de la pâte à modeler. Collez un tube à l'intérieur pour le cou. Placez sur un support.

6. En vous servant de petites bandes de papier, recouvrez de papier journal imprégné d'eau.

7. Tracez une ligne tout autour de la tête et ouvrez en deux ; retirez la pâte à modeler et refermez la tête.

Le papier mâché est très malléable et a eu de nombreuses utilisations, en particulier au Japon ; au siècle dernier, de nombreux meubles en papier mâché laqué étaient importés de Chine et du Japon. Les articles les plus courants que l'on peut encore trouver sont des tables à ouvrage, des plateaux et des vases. Le papier mâché est un matériau durable que n'influencent pas, comme le bois par exemple, les variations climatiques.

MARIONNETTES A GAINE EN PAPIER MÂCHÉ

Fournitures

Journaux, papier crépon
Colle à papier peint
Ciseaux, colle, peintures, vernis
Pâte à modeler
Petite feuille de carte
1 assiette, 2 coupes
Papier de couleur, feutrine, tissus

Les marionnettes à gaine, dont le vêtement forme un gant enfilé sur la main du manipulateur, sont parmi les plus faciles à utiliser. Toute l'animation est produite par le pouce et les autres doigts. L'index soutient la tête, le pouce et le majeur les bras. Le marionnettiste

peut manipuler deux marionnettes en même temps. En fait, une seule personne suffit à la réalisation d'une représentation tant qu'il n'y a pas plus de deux personnages en scène. Ceci demande malgré tout une grande souplesse et une étonnante capacité à changer sa voix.

Certaines de ces marionnettes ont aussi des jambes. Celles-ci sont manipulées par la deuxième main avec l'index et le majeur.

Guignol en France, Punch et Judy dans les pays anglo-saxons, Petrouchka en Russie sont les héros les plus connus de ces spectacles de marionnettes. Leurs origines sont anciennes.

On retrouve leur équivalent dans la *commedia dell'arte* au XVIe siècle ; ils ne sont pas sans rappeler Arlequin, Scaramouche, Pulcinella, etc. Les spectacles de marionnettes s'inspirent également du folklore local.

Cherchez une représentation du personnage choisi, ici Punch, avant de commencer à le modeler. Assouplissez votre pâte à modeler dans le creux de vos mains puis modeler la tête. Exagérez les traits, car chaque épaisseur de papier mâché les affaiblira. Lorsque vous êtes satisfait de la maquette obtenue, faites un tube

en papier de 7,5 cm de long et du diamètre de votre index. Fixez-le solidement dans la tête pour former le cou.

Déchirez vos papiers en longues bandes fines et plongez la première épaisseur dans l'eau. Pour avoir les mains libres collez un morceau de pâte à modeler sur un crayon et fixez-y la tête. Recouvrez la tête et le cou (vous recouperez le bas plus tard) avec le papier journal mouillé. Prenez ensuite du papier crépon imbibé de colle et faites la deuxième couche. Continuez à alterner les couches de papier journal et de papier crépon, toutes imbibées de colle, jusqu'à ce que vous ayez superposé environ 8 couches.

Laissez sécher pendant une journée et coupez en deux. Dégagez la pâte à modeler, collez les deux moitiés de la tête en recouvrant la jointure de petits morceaux de papier imprégnés de colle. Peignez toute la tête d'une peinture couleur chair et laissez sécher. Dessinez alors tous les traits en exagérant par le choix de couleurs très contrastées. Faites les cheveux et collez-les en partant du tour de tête vers le haut du crâne. Fabriquez un chapeau, soit en papier, soit en tissu, et collez-le. Faites un tube d'environ 10 cm et

8. Recouvrez la jointure de petits morceaux de crépon imprégnés de colle. Laissez sécher, peignez couleur chair.

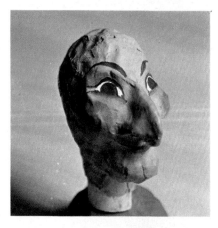

9. Une fois la peinture sèche, finissez de peindre les différentes parties du visage en exagérant les couleurs.

10. Découpez des bandes de papier, frangez l'un des côtés et bouclez (voir p. 8). Collez vers le haut du crâne.

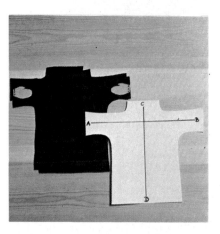

11. Coupez le vêtement (gaine) et les mains ; assemblez en prenant les mains dans la couture.

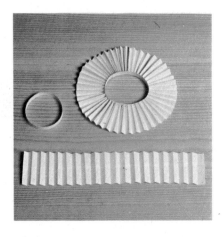

12. Faites la collerette dans une longue bande de papier plissé et collez sur le vêtement.

13. Faites le chapeau cônique et collez-le sur la tête. Collez la tête dans la gaine.

collez-le solidement sous la tête, recoupez-le à 2 cm sous le menton. Confectionnez la gaine (24 cm de A à B et 20 cm de C à D). Orientez bien les mains que vous placerez entre les deux épaisseurs, pouce en haut. Piquez à la machine tout autour en laissant ouverts l'encolure et le bas. Avec une colle forte, collez la tête à l'intérieur du gant ainsi formé.

Réalisez de la même manière toutes sortes de personnages de guignol. Utilisez toujours le même castelet, légèrement modifié dans sa présentation, ses décors, son manteau d'arlequin.

Pour modifier le manteau d'arlequin, collez une feuille de papier de couleur vive sur le devant, ajoutez des rayures d'une couleur contrastante, une frise sur le haut.

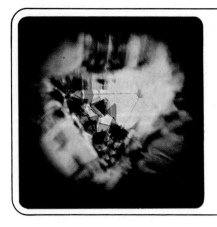

kaléïdoscope

Fournitures

Un tube en carton de 40 cm de long et de 6 cm de diamètre ouvert à une seule extrémité

Un tube de 10 cm de long et de diamètre légèrement supérieur au précédent pour pouvoir s'emboîter par-dessus

Carte de 40 × 20 cm

Miroir en feuille de 40 × 20 cm

Un morceau d'acétate transparent de 15 × 15 cm

Une bande d'acétate transparent de 0,6 × 20 cm

Morceaux d'acétates de différentes couleurs

Morceau de papier calque

Une feuille de papier à dessin blanc

Crayon, compas, règle, cutter

Colle, ruban, adhésif transparent

1. Les pièces du kaléïdoscope. Le tube intérieur est fermé à un bout. Le tube extérieur est ouvert aux deux extrémités.

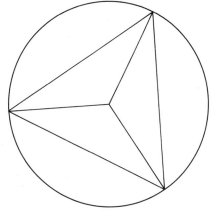

2. Divisez le cercle en trois (angles de 120°) et joignez les points ainsi déterminés sur le cercle.

Le cœur du kaléïdoscope est son miroir qui modifie les formes géométriques de petites formes colorées en mouvement. Le tube qui le contient est fermé à une extrémité, qui est percée d'un petit trou d'environ 6 mm de diamètre où se placera l'œil. Le miroir a trois faces, toutes orientées vers l'intérieur. Elles ont pratiquement la même longueur

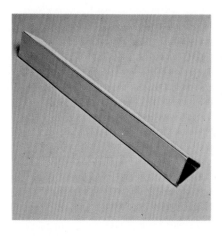

3. Striez et pliez la carte, assemblez le troisième côté, miroir à l'intérieur.

4. Placez délicatement le miroir à l'intérieur du tube en le poussant tout au fond.

5. Découpez deux cercles d'acétates de diamètre plus large que le tube, crantez les bords et rabattez-les.

6. Placez la boîte fermée, contenant les formes de couleur, à une extrémité du petit tube et collez en place.

7. Décorez l'extérieur du tube avec du papier de couleur.

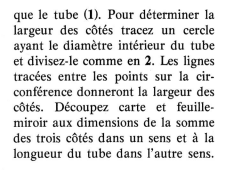

que le tube (**1**). Pour déterminer la largeur des côtés tracez un cercle ayant le diamètre intérieur du tube et divisez-le comme en **2**. Les lignes tracées entre les points sur la circonférence donneront la largeur des côtés. Découpez carte et feuille-miroir aux dimensions de la somme des trois côtés dans un sens et à la longueur du tube dans l'autre sens.

Collez-les ensemble (**3**). Coupez à l'intérieur du tracé pour permettre au miroir triangulaire de glisser à l'intérieur du tube (**4**). Les motifs géométriques sont provoqués par le mouvement de fragments de couleur bougeant à l'intérieur d'une petite boîte fermée. Vous pouvez découper ces morceaux colorés dans de l'acétate, du verre ou utiliser des perles qui se déplaceront facilement et laisseront passer la lumière. Ces fragments sont placés à l'intérieur d'une boîte ronde, en acétate translucide, munie d'un rond de papier calque à la base (**5**). Cette boîte a le diamètre intérieur du tube. Le second cercle est placé par-dessus et l'ensemble est hermétiquement fermé par une fine bande d'acétate collée tout autour. Placez à l'intérieur du tube (**6**). Lorsque l'ensemble est entièrement monté (**7**), orientez vers la lumière et tournez lentement le tube extérieur.